Crianças ÍNDIGO

A EVOLUÇÃO DO SER HUMANO

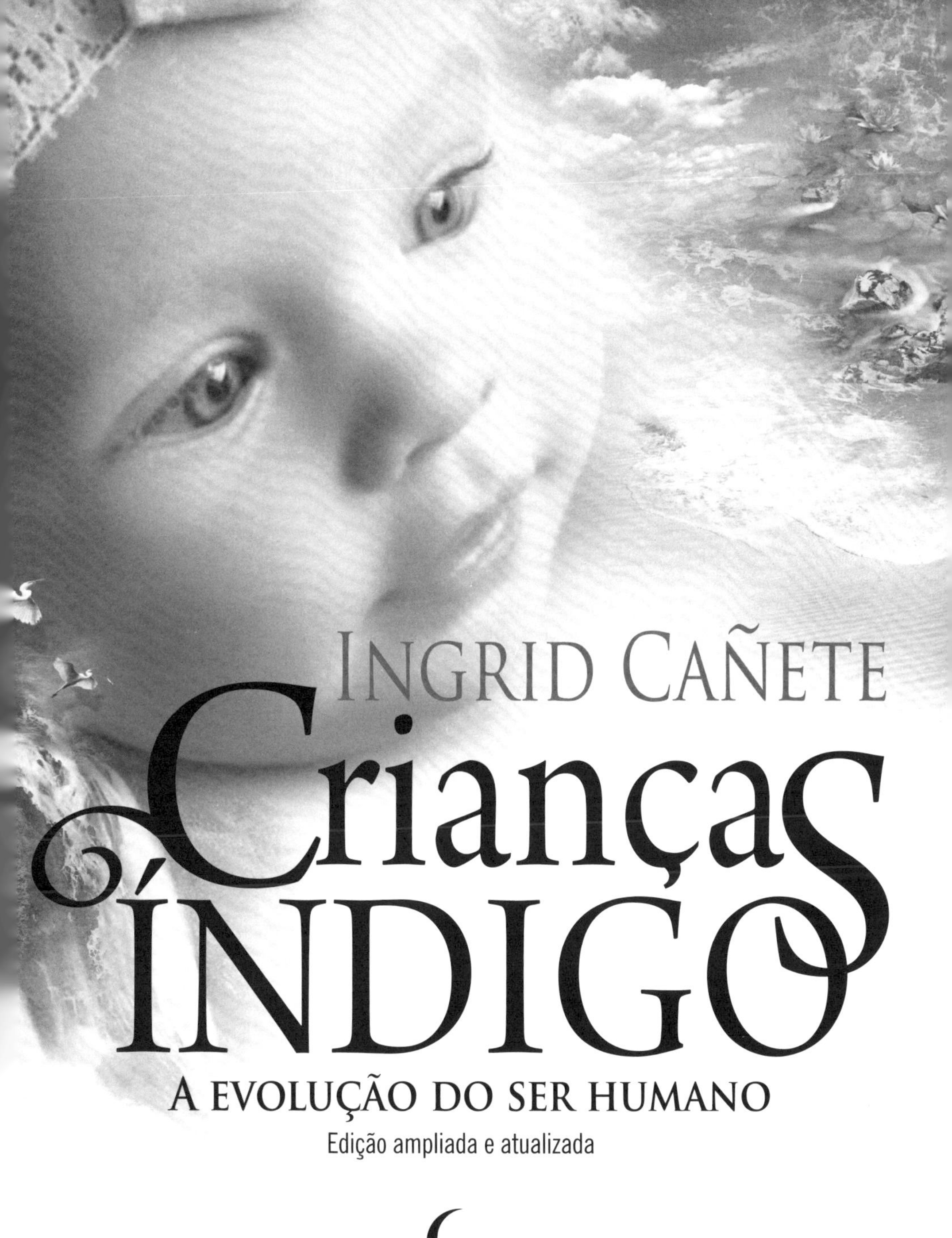

Ingrid Cañete

Crianças Índigo

A evolução do ser humano

Edição ampliada e atualizada

BesouroLux Edições

4ª edição / Porto Alegre-RS / 2019

Capa e projeto gráfico: Marco Cena
Revisão: Sandro Andretta
Produção editorial: Bruna Dali e Maitê Cena
Assessoramento gráfico: André Luis Alt

(A BesouroBox agradece aos amigos Lisiane Alves e Rodrigo Dutra por cederem a foto da sua filha, a Maria Luíza, para usarmos na capa e no projeto gráfico do livro.)

Dados Internacionais de Catalogação na Publicação (CIP)

C221c Cañete, Ingrid
Crianças Índigo: a evolução do ser humano. / Ingrid Cañete. – 4.ed Porto Alegre: BesouroBox, 2019.
208 p.; 16 x 23 cm

ISBN: 978-85-99275-92-4

1. Psicologia infantil. 2. Evolução humana e humanidade. 3. Crianças Índigo. I. Título.

CDU 159.922.7

Bibliotecária responsável Kátia Rosi Possobon CRB10/1782

Rua Brito Peixoto, 224 - CEP: 91030-400
Passo D'Areia - Porto Alegre - RS
Fone: (51) 3337.5620
www.besourobox.com.br

Impresso no Brasil
Junho de 2019

Dedicatória

Este livro é dedicado a você que acredita que o ser humano é essencialmente luz e que seu dever e missão aqui nesta vida é ser feliz e irradiar essa felicidade.

Este livro é uma homenagem a você que acredita que um mundo mais evoluído, mais justo e mais iluminado é possível, e por isso vive e trabalha, todos os dias, inspirado e guiado por essa crença, por essa visão, por esse sonho! Você é luz, você é uma estrela!

Obrigada por existir!

Sumário

AGRADECIMENTOS

Agradeço a Deus pela dádiva que é a minha vida e pela missão que me reservou. Sinto-me honrada na medida em que a descubro e realizo, um pouco a cada dia.

Agradeço ao muito amado Jorge por me apoiar e me amar incondicionalmente, por me incentivar e viabilizar a publicação deste livro por meio das duas únicas forças que realmente contam: o amor e a verdade.

Agradeço ao mestre Kryon por suas revelações e orientações sábias e amorosas por meio de Lee Caroll, especialmente, a quem agradeço por dedicar-se a essa missão, escrevendo livros tão especiais sobre os Índigo, junto com Jan Tober, e realizando seminários pelo mundo, possibilitando que a consciência se expanda e que a evolução humana seja ativada. Obrigado por ter me convidado a participar de um de seus livros e, mais recentemente, por incluir a mim e a meus livros em seu primeiro seminário realizado em Porto Alegre.

Agradeço a Carla Lopes por ter sido a primeira a ler, ou melhor, "devorar" o rascunho deste livro. Ela me deu um parecer tão sincero, preciso e sensível que muito me emocionou!

Agradeço a todos que escreveram comigo o capítulo Depoimentos. Obrigada por colaborarem com o que vocês têm de mais sublime e forte, suas próprias histórias e experiências de vida.

Agradeço a todos que com seus estímulos amorosos, sob a forma de perguntas, dúvidas ou mesmo ceticismo, reforçaram minha coragem e determinação para fazer este livro.

Agradeço ao Dr. Egídio Vecchio por me ajudar a perceber que havia chegado o momento de publicar e por me incentivar a exercitar meu poder de co-criação no único tempo que existe: o agora!

Agradeço à equipe que trabalhou comigo para tornar possível a primeira edição deste livro, em 2005. Queridos Patrícia, Aura, Henrique Erni e Denise, vocês foram fundamentais!

Quero agradecer e demonstrar minha alegria em poder contar com a equipe da BesouroBox para reeditar este livro! Vocês são parceiros muito especiais que acreditam no meu trabalho e na missão que estou cumprindo através dele e de todos os outros livros sobre as novas gerações e a evolução humana. Obrigada de coração pela sintonia, pela sensibilidade e por honrarem tudo o que fazem com a energia sagrada do amor!

Sou muito grata a todos os colegas e amigos da rede virtual que, além de contribuírem com as primeiras informações sobre o tema Índigo, sempre se mostraram disponíveis e interessados em ajudar a encontrar respostas e contatos. Enfim, entre esses amigos, devo destacar Analu (Ana Lúcia Martins Lorandi), Thaís Marzagão, Anete Trachtemberg, Noemi Paymal, Josenildo Carvalho, Balo Ortega, José Manuel Piedrafita Moreno e Isolina Romero.

E, finalmente, agradeço a todos os Índigo que conheci, com quem muito aprendi e sigo aprendendo. Este livro é dedicado a vocês que estão aqui e a todos que virão, com muito amor e de todo o meu coração. Sei que estamos unidos por um único desejo, por um único sonho: criar um mundo de paz!

Ingrid Cañete

Apresentação

É com muita alegria que apresento a vocês, amados leitores, esta nova edição revisada e atualizada de meu primeiro livro-filho sobre o tema da evolução humana que trata das novas gerações, também chamadas de Índigo.

Desde a primeira edição, em 2005, muita coisa aconteceu. A passagem do tempo se acelerou, superamos diversos momentos críticos de conflitos em diversos pontos do planeta, enfrentamos muitos eventos fortes e dramáticos, como terremotos, tsunamis, tufões, alguns acidentes aéreos e desastres ecológicos sem precedentes.

Neste período, também fomos testemunhas ativas e participantes de mudanças revolucionárias com Steve Jobs, no ambiente da tecnologia, e Mark Zuckerberg, criador do Facebook. Observamos, impressionados, a participação cada vez mais ativa e surpreendente das novas gerações, principalmente por meio das redes sociais, mostrando seus dons e talentos e promovendo mudanças que vão desde redes de ajuda humanitária e social para salvar muitas vidas, até manifestos simultâneos em todos os continentes visando a protestar e mostrar ao mundo o que não pode mais ser aceito numa sociedade dita humana, em pleno século XXI.

Milhares de crianças e jovens com dons artísticos fantásticos vêm demonstrando ao mundo que realmente estamos vivendo um novo tempo em que seres humanos muito mais desenvolvidos e evoluídos estão nascendo, e precocemente desejando contribuir com sua arte para transformar e humanizar as relações humanas, ativar a expansão das consciências e alavancar nossa jornada evolutiva. Outros milhares de crianças e jovens dotados de dons destacados para a cura, para a ciência e para trazer novos paradigmas ao mundo se fazem notar e alguns já se tornaram "famosos" nas redes sociais, embora não seja esse o seu objetivo principal. Vemos esses jovens que agora povoam a Terra, e que são praticamente cem por cento da humanidade, demonstrando uma exemplar vocação para encurtar o caminho entre pensar e agir na direção do pacifismo e do humanitarismo.

Faltaria espaço neste livro para descrever os incontáveis exemplos de crianças e jovens que nos ensinam a sair do estágio de discursos vazios e desgastantes, guiados pela velha energia da competição, e passar ao estágio mais avançado da ação fundamentada na cooperação. Vamos apenas ilustrar com alguns exemplos, começando pela menina brasileira Ingrid Sotto, de 11 anos, que se intitula ativista e pacifista e que atua vinculada à ONU para ajudar a promover a paz usando as músicas que ela mesma compõe e canta. Ingrid é articulada, se envolve na ajuda de jovens refugiados, especialmente de zonas de guerra, participa de eventos voltados à promoção da paz, já deu muitas entrevistas na televisão, seus vídeos estão na internet e ela mantém um blog superativo.

Outro belíssimo e inspirador exemplo é o do jovem canadense Ryan Hreljac, que começou com seis anos de idade, motivado por uma professora que falou sobre as dificuldades dos povos da África em viver sem ter água potável. Ele uniu seus irmãos, vizinhos e amigos e juntou dinheiro suficiente para abrir um poço na África, por meio de uma ONG. Sentiu-se tão feliz e realizado que seguiu fazendo campanhas e angariando fundos para abrir mais poços de água na África e acabou por criar sua própria fundação, chamada Ryan's Well. Hoje, com 20 anos, Ryan viaja pelo mundo angariando contribuições para seguir com o que descobriu ser o motivo de ter nascido, diz ele. Ryan já contribuiu para que mais de quinhentas mil pessoas possam ter acesso à água potável no continente africano.

No mundo das ciências médicas, temos o exemplo do menino indiano Akrit Jaswal, que desde os sete anos de idade já era médico, mesmo sem ter cursado uma universidade, e fez sua primeira cirurgia com oito anos, na qual obteve êxito pleno. Ele foi o mais jovem universitário da Índia e afirma já ter descoberto a cura para o câncer. Hoje é um jovem de 21 anos, que pode ser considerado um médico "veterano".

Na arte, podemos citar a cantora neozelandesa Lorde, que com apenas 16 anos de idade já emplacou muitos sucessos e que, além de ter uma voz maravilhosa e de compor divinamente, mostra em suas canções mensagens profundas e sensíveis a respeito de como os jovens percebem e questionam os valores vigentes e o modo de vida atual. Lorde foi nomeada a jovem mais influente do mundo pela revista norte-americana *Time*, eleita a Mulher do Ano pela MTV em 2013, conquistou a Billboard Hot 100 dos EUA e o Grammy Awards de Canção do Ano em 2014.

Não podemos nos esquecer da artista e poeta Akiane Kramarik, a menina norte-americana que começou a desenhar aos quatro anos, a pintar divinamente aos seis anos e a escrever poesias aos sete anos de idade. Ela nunca frequentou a escola, tendo sido educada em casa, por professores particulares. Suas pinturas são de uma beleza e sensibilidade únicas e podem ser apreciadas na internet. Akiane está com 20 anos atualmente.

Entre as crianças, citamos o menino Akim Câmara, que com somente três anos de idade apresentou-se com André Rieu e sua orquestra para uma plateia de 18 mil pessoas, tocando clássicos com seu violino. No mundo da tecnologia, temos o exemplo do menino Thomas Suarez, que com 12 anos criou aplicativos para iPad e para iPhone, se dedica a ensinar outras crianças a criarem aplicativos e já tem sua própria empresa. Ele fez uma palestra para o TEDx nos EUA e impressiona pela sua inteligência, desenvoltura, simpatia, simplicidade e pureza ao se expressar.

Como dissemos, realmente vivemos tempos mais do que especiais! Tempos estes marcados por grandes desafios relacionados a grandes transformações, tanto em nível terrestre quanto cósmico. Muitas crianças da geração Índigo seguem, hoje, nascendo e tantas outras se tornaram adolescentes, jovens e adultos. A evolução humana segue e seguirá sempre. Chegará um dia em que nem usaremos mais o nome "Índigo" para identificar mais do que um grupo evolutivo, uma época e uma etapa significativa de nossa evolução...

Neste momento, declaro minha alegria e gratidão por estar contribuindo, por meio deste e de outros livros, para que muitos jovens e adultos estejam abrindo mentes e corações e se identificando, se reconhecendo e descobrindo seu propósito e missão de vida. Fico absolutamente extasiada a cada mensagem que recebo com testemunhos de como cada um vivenciou este sublime e impactante processo de seu DESPERTAR e de libertação, como me dizem sempre.

Desejo agradecer, do fundo de meu coração, a todos vocês, crianças, jovens e adultos desta geração, por serem verdadeiros Guerreiros da Luz entre nós. Gratidão imensa pela coragem, pelo amor e pela determinação em nascer aqui, justamente nesta época, dispostos a viver tudo o que a condição humana significa e implica viver.

Na certeza de que escolhemos estar todos aqui, juntos e unidos, como autores e atores deste Novo Tempo que nos pede, acima de tudo, assumirmos a responsabilidade de sermos, a um só tempo, alunos e professores e amigos aprendendo juntos, finalizo fazendo minhas as palavras de um grande educador, mestre e inspirador chamado Rubem Alves, que há pouco nos deixou e foi brincar lá no Céu: *Aqui se encontra o retrato deste mundo. Se você prestar atenção, verá que há mapas dos céus, mapas das terras, mapas do corpo, mapas da alma. Andei por esses cenários. Naveguei, pensei, aprendi. Aquilo que aprendi e que sei está aqui. Estes mapas eu lhes dou como minha herança. Com eles, você poderá andar por estes cenários sem medo e sem sustos, pisando sempre a terra firme. Dou-lhe o meu saber. É preciso navegar. Deixando atrás as terras e os portos de nossos pais e avós, nossos navios têm de buscar a terra dos nossos filhos e netos ainda não vista, desconhecida, certo de que os sonhos são os mapas dos navegantes que procuram novos mundos.*

Desejo-lhe uma estimulante e inspiradora leitura!

Um abraço com muito amor e gratidão,

Ingrid

Prefácio

Parabéns, Ingrid! Um novo livro, aliás, um excelente livro, sobre esses anjos azuis que denominamos, por convenção, de Índigo. Uma nova obra, fruto de seu talento, de seu modo especial de ver o mundo e as coisas. Procurei, como preparo para escrever esta carta-apresentação de seu trabalho, qual seria o capítulo que poderia assinalar como o mais interessante... E fracassei. Perdoe-me, Ingrid, não consegui meu objetivo. À medida que avançava na leitura, mais e mais ficavam seduzidos meu pensamento e meu coração. Qual capítulo?

Quem são os Índigo? Suas características? O toque no coração acerca do filho índigo? Os adultos, os encontros, os pais, a magnífica colocação de futurologia quando sua intuição a leva a considerar temas e a fazer afirmações até ousadas? Por que não? Por que ficar repetindo as "mesmices" de sempre? É isso mesmo, Ingrid!

Nós, como psicólogos, temos um compromisso de honra com o ser humano: evoluirmos com ele e acompanharmos a nova ousadia humana de viver feliz, sobre a qual os Índigo nos trazem novos paradigmas. Nosso mundo cresce, o planeta Terra está crescendo e gerando milagres, o ser humano agiganta-se mais e mais através dos séculos. Hoje nosso cérebro já está manifestando (científica e espiritualmente) essa evolução do DNA de que você trata com tanta eficiência na relação com o novo tipo biopsicoespiritual que chamamos de Índigo. Eles são os expoentes de uma nova biotipologia humana.

Você, estimada colega, com este seu novo livro, constitui-se em um destaque da mais moderna e atualizada psicologia espiritual humana. Seu livro é escrito com tanta inteligência que o leitor sente seu coração quando fecha a última página. Esta é uma publicação além da Nova Era, já quase antiga. Está escrito na Era do Agora, na qual todos estamos aprendendo a viver na alegria, na justiça e na paz que os Índigo vieram ensinar-nos.

Em meu próprio nome, e em nome de seus leitores, que serão muitos, OBRIGADO, DOUTORA INGRID! E se a solidariedade me autorizasse, eu lhe diria: sinto-me orgulhoso de apresentar seu livro.

Desejo toda a alegria do sucesso.

Na Luz Azul, Egidio Vecchio, psicólogo, Ph.D.

Introdução

Prepare-se, leitor, para conhecer um ser humano muito especial. Apresento as Crianças Índigo, como estão sendo chamadas pelos especialistas no assunto e pela literatura existente. Embora sejam também denominadas Novas Crianças, Crianças das Estrelas, Sementes das Estrelas ou, ainda, Crianças Y, Crianças Índigo é a nomenclatura mais aceita e reconhecida internacionalmente, até este momento.

Escrever sobre este tema é algo, para mim, muito, muito especial! E, acima de tudo, uma enorme responsabilidade. Tenho estudado muito, observado e conversado com pessoas, até mesmo com outros estudiosos. Pensei muito antes de decidir escrever este livro e senti que era chegado o momento de contribuir para dar início às publicações sobre o assunto no Brasil. E, mais do que isso, acredito que é hora de se pensar mais seriamente e de se falar mais abertamente sobre o tema, criando-se fóruns adequados e organizando-se grupos de estudo e de pesquisa que possam respaldar as ações em prol de uma gradual transformação de nossas crenças, valores e atitudes como sociedade.

Creio que este livro pode ser uma singela colaboração para informar, refletir, clarear dúvidas, orientar e apoiar aqueles que já perceberam, há mais tempo, que as crianças não são mais as mesmas, que os jovens também estão muito diferentes e que os velhos paradigmas e as antigas fórmulas de educação não estão tendo eficácia hoje. O efeito mais visível são os adultos e os mais idosos perdidos, confusos e sem saber como agir. Muitos atribuem aos novos tempos uma crise de valores sem precedentes e o desgaste do sistema capitalista. Culpa-se até a globalização pelas turbulências e por toda essa "loucura", esse caos social em que vivemos. Há um tanto de verdade, mas não de culpa (!), em cada um desses aspectos.

O fato é que realmente são novos esses tempos! Sempre ouvimos falar, por meio das revelações bíblicas, religiosas, místicas e até mesmo científicas, sobre um novo tempo que chegaria. Entretanto, isso talvez tenha ficado guardado na memória como mais uma previsão fantástica que nunca se realizaria. Pois bem, esses tempos chegaram. Somos testemunhas "vivas" e ao mesmo tempo autores e atores desse novo tempo! Portanto, não deveríamos nos espantar com todo o caos criado e com as descobertas sobre mudanças mais profundas na espécie humana ou na natureza do nosso corpo ou mesmo no funcionamento de nosso planeta. Devemos lembrar que por trás de todo o caos existe uma ordem perfeita, e o mais importante: o caos é necessário para o surgimento de uma nova ordem, e isso é comprovado pelos estudos científicos mais avançados.

Comecei a estudar esse assunto há cerca de oito anos e não foi obra do acaso. Hoje sei que o "acaso" não existe. Recebi algumas mensagens de uma rede de estudos via internet, as quais falavam sobre crianças diferentes que estavam nascendo em maior número nos tempos mais recentes e cuja missão principal era exigir e promover uma revisão de valores de seus pais, educadores e da sociedade em geral. Isso já foi suficiente para despertar meu interesse. Dei início à minha carreira de psicóloga atendendo crianças e pais no consultório, e sempre tive fascínio e paixão por tudo o que se relacionava à infância, da educação ao desenvolvimento.

Aliás, recordo que desde pequena já tinha clareza de que gostaria de estudar Psicologia e de que meu trabalho deveria se direcionar a ajudar os adultos a compreenderem e respeitarem muito mais as crianças do que eu os via fazer naquela época. Na década de 1960, lembro-me bem, era comum ouvir dos pais declarações explícitas do tipo: "Não te preocupa se elas ouvirem o que falamos, as crianças não entendem nada mesmo!". Ou, ainda, quando uma criança fazia uma afirmação ou expressava um sentimento ou opinião: "Ah, isso é coisa de criança!". Nunca me esqueci do tom de desdém e subestimação que havia nessas declarações. Cresci, e o sentimento, logo desejo e depois convicção, cresceu comigo: tinha que estudar Psicologia para auxiliar os adultos e, consequentemente, ajudar as crianças.

O mundo dá muitas voltas, mostra-nos possibilidades e caminhos, e apresenta-nos desafios. Eu, nessas voltas do mundo, trabalhei como psicóloga clínica com pais e crianças, atuei e atuo em empresas como consultora voltada para a qualidade de vida, virei professora universitária, palestrante, escritora e deparo, então, com mais esse desafio, que me leva a um reencontro, talvez agora mais profundo e certamente mais maduro, com o tema que sempre foi uma paixão: as crianças, sejam elas habitantes recém-chegados de um corpo físico infantil ou habitantes mais experientes de um corpo físico adulto.

Na medida em que passei a buscar mais informações, percebi que o assunto era realmente "sério" e que havia estudos científicos, livros publicados e pessoas de diferentes países interessadas e já debatendo o tema. Entrei em contato com os primeiros e escassos livros (ainda sem tradução) e entendi que meu fascínio e paixão pelo tema tinham uma razão ainda mais forte de ser: eu me identifiquei como sendo um adulto Índigo. Isso foi recompensador, pois, mesmo tendo passado muito tempo desde minha infância e adolescência, compreendi com clareza por que sempre fui diferente na família, na escola, na universidade, no trabalho e na vida.

Existem razões plausíveis e, hoje, cientificamente explicáveis para isso.

Ser diferente tem um ônus e sobre isso também vamos falar um pouco neste livro. Pois os Índigo não são seres, digamos, superiores e não devem ser endeusados, não são personagens de filmes de ficção ou algo do gênero. São especiais, sim, mais evoluídos e com capacidades e dons mais ativados, extremamente sensíveis, também! Mas, acima de tudo, os Índigo são apenas e tão somente seres humanos diferentes! os Índigo recebem essa denominação devido à coloração azul-índigo de sua aura (ou corpo energético). Eles são diferentes em sua natureza, em sua constituição genética e física, em sua energia essencial, em sua sensibilidade, em suas potencialidades e em sua espiritualidade. os Índigo estão chegando à Terra em um número cada vez maior e mais expressivo. Eles vêm com uma missão muito clara: facilitar o processo de evolução dos seres humanos e do planeta, ao mesmo tempo em que representam, eles próprios, essa evolução.

É possível que você seja um Índigo, ou mesmo seus filhos, seus sobrinhos, seus netos ou seus alunos. Já pensou? Neste caso, por serem apenas diferentes, vocês podem estar sofrendo e pagando um preço alto demais e desnecessário! É, também, para minimizar ou até eliminar esse sofrimento que decidi escrever este livro. Espero que as informações aqui apresentadas, aliadas às minhas próprias experiências como Índigo, possam trazer esclarecimentos e luz. Desejo que este livro possa abrir uma janela ou, quem sabe, uma nova porta para você, que busca o autoconhecimento, o autodesenvolvimento e que deseja, por meio do próprio exemplo e de sua própria luz, ajudar outras pessoas no processo deste despertar.

Por fim, sinto a necessidade e o dever de manifestar um motivo mais do que especial para escrever sobre este assunto: meu trabalho de tantos anos e minha busca incessante na direção da qualidade de vida, minha e dos meus semelhantes. E, nessa trajetória de busca, sempre me caracterizei por enxergar muito além, querer ir além, dar aulas inovadoras, escrever sobre temas inovadores, falar sobre o que ainda não falaram ou foi pouco explorado. Embora alguns de meus escritos e trabalhos anteriores tenham sido voltados, declaradamente, para a qualidade de vida e para o ambiente empresarial e de adultos, entendo e proponho este livro como perfeitamente inserido nesse contexto, uma vez que o estou tratando sob a ótica da evolução do ser humano.

Os Índigo são, neste processo evolutivo, os precursores de uma nova humanidade, sementes da esperança da vitória do bem sobre o mal, líderes cidadãos* de uma nova sociedade humana. Eles são, sem dúvida, os detentores do poder de mudar, de transformar essa sociedade que aí está, caótica, perdida em relação aos valores mais elevados e praticamente à deriva por uma total falta de verdadeiros líderes, em uma sociedade mais justa, mais humana, mais saudável, mais amorosa e mais ética; portanto, com mais qualidade de vida e mais feliz. Acredito, a exemplo de um grande líder recentemente falecido, o emissário brasileiro das Nações Unidas, Sérgio Vieira de Mello, morto em um atentado terrorista em 2004 no Iraque, que o bem vencerá o mal, sempre.

Ingrid Cañete

---

* Denominação atribuída por Marco Aurélio Ferreira Vianna aos líderes da nova sociedade que está surgindo.

Estrelas

Ingrid Cañete

Crianças são como estrelas
Na beira do mar.
Crianças são lindos contornos deste belo mar,
O mar que nos banha e nos brinda com o seu cantar.
Crianças são belezas soltas
Depois de uma explosão sincera
Da energia vital.
Crianças, ah, crianças!
O céu espera por elas enquanto nós não queremos vê-las sofrer.
O céu anseia por recebê-las, e nós mal temos tempo de tê-las
E já queremos vê-las crescidas, amadurecidas e velhas.
Prontas para um voo solo, rumo ao eterno.
Sem sabê-las,
Sem conhecê-las e amá-las como
Estrelas.

As pessoas têm estrelas que não são as mesmas.
Para uns, que viajam, as estrelas são guias.
Para outros, elas não passam de pequenas luzes.
Para outros, os sábios, são problemas.
Para o meu negociante, eram ouro.
Mas todas essas estrelas se calam.

Tu, porém, terás estrelas como ninguém (...)
Quando olhares o céu de noite,
Porque habitarei uma delas,
Porque numa delas estarei rindo,
Então será como se todas as estrelas te rissem!
E tu terás estrelas que sabem rir!
(Antoine de Saint-Exupéry)

CAPÍTULO 1
Quem são as Crianças Índigo?

Antes de elucidar a pergunta título deste capítulo, sinto que é oportuno e, mais do que isso, fundamental enfatizar a necessidade de o leitor realizar uma reflexão cada vez mais urgente sobre a natureza essencial do ser humano. Tenho insistido em abordar esta questão em minhas aulas e palestras, pois acredito que, em nome do espírito científico que vem impondo seu poder na sociedade moderna, não podemos pretender abordar a existência e o comportamento humanos, seja no âmbito da educação, da gestão ou do governo, a não ser a partir da verdadeira e mais completa concepção do ser humano. Para a construção sólida e consistente do conhecimento, é imprescindível partir de uma concepção verdadeira, completa e profunda.

Recordo aqui uma máxima filosófica aprendida ainda na faculdade e da qual nunca esqueci: a verdade preexiste, cabe a cada um de nós descobri-la. Entretanto, o fato de que alguns ou muitos ainda não a tenham desvendado não significa que ela, a verdade, tenha deixado de ser ou de existir. Bem, a concepção mais verdadeira, completa e profunda que conheço a respeito do ser humano é a concepção holística proposta pela Psicologia

Transpessoal. De acordo com essa visão, o ser humano é um ser biopsicossocioespiritual e precisa ser compreendido, estudado e respeitado como tal. Essa concepção não se opõe à predominante visão mecanicista de nossa sociedade, que percebe e trata o ser humano como uma máquina, um mecanismo que pode ser decomposto em partes e manipulado, usado e explorado até a exaustão. A concepção holística vem, isto sim, ampliar muitíssimo a visão, o olhar sobre o ser humano e a sociedade construída por ele.

De acordo com a visão holística, o que se destaca é que nossa essência é espiritual. Possuímos uma alma e somos um todo indivisível, no qual corpo, mente e espírito interagem, se inter-relacionam e são interdependentes. E esse todo indivisível que somos forma um todo ainda maior com nosso planeta, a Terra, e com o Universo, com o Cosmo. O fato, como já disse, de que algumas ou muitas pessoas não despertem para essa associação não altera a verdade. Mas, na medida em que um número crescente de pessoas desperta, descobre e torna-se consciente da verdade, cria-se uma massa crítica com poder e energia suficientes para que a verdade salte aos olhos da maioria, de todos. Ocorre uma transformação na percepção, na *gestalt* coletiva e uma nova visão se instala. Existem inúmeras experiências e explicações de cunho científico para tal processo. Se houver interesse, o leitor poderá buscar informações, na internet, sobre a teoria dos campos morfogenéticos e sobre a experiência denominada *O centésimo macaco*, apresentadas pelo cientista Ruppert Sheldrake.

Para reforçar e embasar as ideias aqui apresentadas, valho-me de Rudolf Steiner, cientista espiritual, filósofo, escritor e fundador da Sociedade Antroposófica, reconhecido no mundo inteiro como uma autoridade em educação e tratamento de crianças por meio do Método Waldorf. Em palestra proferida em 1907 e posteriormente transformada em um livro chamado *A educação da criança*, Steiner faz considerações iniciais acerca da sociedade humana e dos problemas do mundo moderno e afirma: "Quem analisar mais profundamente a situação não poderá abster-se, perante todos esses fenômenos, do sentimento de que nossa época tem apenas meios inadequados para enfrentar as exigências feitas ao homem moderno. Muitos querem reformar a vida sem conhecer realmente seus princípios básicos. Quem quiser fazer sugestões para que algo aconteça no futuro, não poderá se dar por satisfeito com um conhecimento superficial da vida, deverá, antes, pesquisá-la em profundidade" (Steiner, 2001).

O mesmo autor acrescenta uma analogia maravilhosa com a natureza e as plantas, a qual não poderia deixar de citar para fortalecer meus propósitos ao escrever este livro e, muito especialmente, este capítulo: "Toda a existência é como uma planta, não abrangendo apenas o que se apresenta à vista, mas contendo em seu âmago um estado futuro. Quem vê uma planta apresentando apenas folhas sabe perfeitamente que ela terá, dentro de algum tempo, flores e frutos. Contudo, a planta já tem, de maneira invisível, a disposição para essas flores e frutos. Mas como poderia opinar sobre o aspecto desses órgãos alguém que se limitasse a estudar na planta apenas o que ela apresenta ao olhar do observador no momento presente? Só poderá fazê-lo quem conhece sua natureza íntima".

Da mesma maneira, podemos falar sobre a vida humana, que tem disposição para um futuro, sem dúvida. Mas, para podermos falar a respeito desse futuro, precisamos adentrar e conhecer a natureza e essência ocultas do ser humano. Seja esse ser humano uma criança, um adolescente ou um adulto, seja ele um Índigo ou não, para dizermos algo sobre ele, precisamos ter a coragem de mergulhar fundo em sua natureza, com a atitude e o olhar de um verdadeiro cientista espiritual. É preciso examinar todas as instâncias do todo – corpo, mente e espírito, com a abertura de todos os sentidos, que se faz necessária. Precisamos, principalmente, abrir nosso coração. Necessitamos desenvolver uma visão holística, a qual só será possível na medida exata da integração das funções do hemisfério esquerdo do cérebro, responsável pela razão, raciocínio lógico e objetividade, às funções do hemisfério direito, que comanda a intuição, a criatividade, as emoções e a subjetividade.

Faço questão de ressaltar que, para a visão holística predominar em nossa sociedade, será preciso que os cientistas e todos os que se pronunciam em nome da ciência estejam dispostos a rever suas posições e, principalmente, que se disponham a abandonar alguns paradigmas, aos quais ainda insistem em se apegar. Paradigmas estes que já foram derrubados pelas mais recentes descobertas da própria ciência. Vejam-se, por exemplo, as últimas descobertas da física quântica, da biologia, enfim. É necessário que, mediante a grandeza de caráter, a integridade e a humildade, possam admitir que, em que pesem todos os incontáveis, inegáveis e fantásticos avanços da ciência, especialmente nos últimos 20 anos, estamos ainda distantes de alcançar a verdade mais profunda sobre nós mesmos, sobre o Universo e tudo o que existe nele. Afinal, quem pode afirmar e confirmar, com precisão matemática, o que é a verdade ou o que é a realidade?

Conforme Steiner (2001, p. 10), "por sua própria natureza, a Ciência Espiritual deve ter por tarefa oferecer uma cosmovisão prática que abranja a essência da vida humana. A Ciência Espiritual não inventa programas, mas os deduz do que existe. Porém, as conclusões daí resultantes constituem, em certo sentido, um programa em si, pois contêm a natureza da evolução. É justamente por esse motivo que o aprofundamento científico-espiritual da natureza do homem deve fortalecer os mais frutíferos e práticos meios para a solução das questões existenciais prementes da atualidade". É com esse espírito de abertura e com a atitude de um cientista espiritual que convido você a ler este capítulo e todos os outros que aqui são apresentados.

As Crianças Índigo representam a evolução da raça humana na Terra. Elas personificam toda a grandeza e a essência divina do ser humano, preconizadas por civilizações que nos antecederam no planeta e também pelos textos bíblicos. Conforme Darío Bermudez (*in* Aisenberg, 2003), evidências em diferentes partes do mundo parecem indicar que novos seres estão chegando ao planeta, seres com um nível muito mais elevado de consciência. Eles estão vindo para "mudar", para construir, para deixar para trás o obsoleto e nos ensinar uma nova visão de tudo, com uma matéria-prima revolucionariamente óbvia: o amor.

A primeira pessoa a identificar e escrever sobre o fenômeno Índigo foi Nancy Ann Tappe, em seu livro *Understanding your life through color*, em 1980. Ela chamou de Índigo os seres nos quais identificou a cor índigo em seu campo energético ou aura. Todos os seres humanos possuem um campo de energia que os circunda e cuja coloração varia de acordo com seu grau de consciência e com sua missão na Terra. Sobre Nancy, é importante destacar que é professora na Universidade de San Diego State, nos Estados Unidos, é também conferencista internacional com trabalhos realizados na América do Norte, na Europa e na Ásia. Parapsicóloga, teóloga, filósofa, sensitiva e canalizadora, ela submeteu seus dons paranormais de ver a aura humana, das plantas e dos animais a um acompanhamento científico, sob a direção de um psiquiatra americano, em San Diego. Dedicada ao estudo dos Índigo, descobriu neles a qualidade da energia azul.

Seus estudos e investigações tratavam de construir um perfil psicológico que pudesse resistir à crítica acadêmica. Na época, em 1980, seu colega e companheiro de pesquisa, o psiquiatra McGreggor, a chamou para ver seu filho, que acabara de nascer, depois de inúmeras dificuldades enfrentadas por ele e sua mulher para conseguir que ela engravidasse. Nancy foi ver o bebê e percebeu que ele tinha uma aura azul, cor que ainda não constava em seus registros e estudos de até então. O bebê viveu por pouco tempo, mas Nancy passou a observar e a estudar essa cor de aura, a partir daí. Segundo a parapsicóloga, os Índigo não têm um plano de estudos como nós temos e não o terão até sete ou oito anos de idade ou até mais. Somente por volta dos 26 ou 27 anos de vida, poder-se-á observar uma grande mudança nos Índigo, ou seja, seu propósito estará aqui e passarão a ter clareza impressionante sobre o que estão fazendo. Os mais jovens virão com uma clareza muito grande sobre o que farão na vida.

Inspirados e estimulados pelos estudos e descobertas de Nancy, Lee Carroll e Jan Tober resolveram escrever o livro *The Indigo Children – the new kids have arrived*, em 1999, nos Estados Unidos. As chamadas Crianças Índigo, ou geração X, representam uma nova raça humana com a consciência expandida e extrema sensibilidade. São, naturalmente, democráticos, menos autoritários e manipuladores, e também cooperativos em vez de competitivos. São holísticos por natureza, uma vez que tendem naturalmente para a percepção do todo, em qualquer situação ou contexto, demonstrando, até mesmo, dificuldade ou mesmo incapacidade para perceber e interpretar a realidade sob o enfoque mecanicista, ou seja, de fragmentação da mesma e de sua redução a partes ou componentes.

Os Índigo são seres especiais, sim, muito embora sejam tão humanos e "terrenos" quanto seus pais. A diferença é que eles, os Índigo, vêm com a missão de provocar e de impulsionar mudanças e a revisão de crenças e de valores na humanidade. Eles são especiais também porque vêm providos de capacidades físicas, mentais e espirituais que nós, em geral, não possuímos ou não desenvolvemos. Ocorre que os Índigo vêm com essas capacidades bem desenvolvidas e manifestas. O termo Crianças Índigo é reconhecido em nível internacional e vem sendo empregado para se referir a seres humanos, não apenas crianças, embora estas representem seu maior contingente, que possuem um novo estado de consciência, um sistema imunológico fortalecido (imunidade a doenças como câncer e Aids), telepatia, capacidade para prever o futuro, reconhecer seres etéreos, mais intuição e até habilidade para curar outras pessoas. Possuem a aura azulada, o que significa a manifestação da utilização de centros energéticos superiores.

Considerando-se que a Terra é um planeta da terceira dimensão, em processo de transição para a quarta dimensão, as Crianças Índigo são vistas como pontes nessa transição, tendo a missão de aumentar o padrão vibratório do planeta. Elas possuem melhores condições de lidar com as impurezas criadas pelo homem, segundo Maria Dolores Paoli, uma especialista venezuelana em Psicoespiritualidade, conceito relativamente novo, que se refere à psicologia transpessoal, na qual se unem o conhecimento do ego com o da alma.

A chegada dos Índigo e os primeiros estudos e descobertas

As Crianças Índigo chegam à Terra com um potencial de mudança em seu DNA, o que lhes permite resistir a doenças, conforme Maria Dolores Paoli. Ela também diz que, cientificamente, já temos a confirmação da mudança que elas aportam, manifestada pela ativação de quatro núcleos que, combinados em *sets* de três, produzem 64 padrões diferentes, chamados de códigos. Os humanos têm 20 desses códigos ativados, que proporcionam toda a informação genética. Excetuando-se três, que são códigos de arrancar e parar, como se fosse um computador.

Até agora, a ciência considerou esses códigos desativados como programas remotos de que atualmente não necessitamos. Entretanto, aparentemente, as Crianças Índigo nascem com um potencial de ativação em quatro códigos a mais, o que se evidencia em um claro fortalecimento de seu sistema imunológico. Essas evidências ficaram demonstradas em estudos realizados na Universidade da Califórnia (UCLA). Alguns dos experimentos consistiram em mesclar células de Crianças Índigo com doses letais de vírus da Aids e com células cancerígenas, as quais não tiveram nenhum efeito nas células dos Índigo. A conclusão é que eles vêm com um sistema imunológico fortalecido, que garante proteção natural às doenças.

A especialista venezuelana destaca que os *Niños* Índigo nascem em qualquer classe socioeconômica e se caracterizam, fundamentalmente, por possuírem um novo estado de consciência. Maria Dolores ressalta ainda que eles se distinguem por intermédio de alguns traços físicos: são mais delgados, têm olhos grandes, com o lóbulo frontal ligeiramente pronunciado, em geral são canhotos ou ambidestros. Comem pouco, e alguns são vegetarianos por não suportarem carne. Seus cinco sentidos são altamente desenvolvidos, visto que auditivamente podem ser capazes de ouvir decibéis mais agudos, conversações e ruídos à distância. Visualmente, podem ver facilmente os campos energéticos ou auras de plantas, animais e seres de outras dimensões, como fadas, gnomos ou anjos. São hipersensíveis, tátil e olfativamente, e reconhecem com precisão os odores que lhes agradam ou não.

Aos Índigo não lhes agradam os materiais sintéticos, como, por exemplo, as etiquetas de roupas, e preferem sempre peças feitas de algodão puro. Mas todas essas características, embora nos ajudem a identificar os Índigo, estão longe de ser uma definição completa sobre tudo o que pode vir a ser um Índigo.

A argentina Ivonne Mencken, autora do livro *Como convivir con un Niño Índigo*, é mãe de um Índigo. Ivonne dedicou-se a estudar o tema, em profundidade, durante a última década, desde a gravidez de seu único filho, época em que uma amiga lhe falou a respeito do assunto. Descobriu que ela e o marido são Adultos Índigo e deparou com a questão das Famílias Índigo! Em seu livro, a argentina compartilha os resultados e descobertas de seus estudos, da participação em redes de pesquisa, de suas observações e da própria experiência de conviver com seu filho. Segundo ela, os

Índigo são seres mais sensíveis e gentis do que as outras pessoas. Muitos deles manifestam, precocemente, que nasceram na Terra para fomentar o amor, a paz e um estado natural de felicidade. Segundo Ivonne e outros estudiosos, os Índigo ditos puros começaram a chegar em grande número à Terra a partir da década de 1970, mais provavelmente entre 1978 e 1980. Entretanto, os estudos prosseguem e, sendo o tema tão recente quanto atual, existem muitos dados e informações que precisarão ser checados e melhor esclarecidos.

A época da chegada dos primeiros Índigo, em um número bem menor e na condição de pioneiros, pode datar de 1940, e certamente não antes disso, argumenta a pesquisadora Nancy Tappe. Segundo ela, entre os diferentes tipos de personalidades e as cores de auras identificadas, existem as cores puras e as mesclas dessas cores. Parece provável que entre aqueles que nasceram a partir de 1940 se encontrasse uma mescla de cor Índigo-Violeta com a missão de preparar o caminho para os Índigo puros que chegaram mais adiante. A partir de 1960, um número significativamente maior de Índigo-Violeta chegou e também muitos representantes dos Índigo puros. Não é nosso objetivo aqui aprofundar a descrição sobre as variações de Índigo, bem como sobre a teoria e os estudos de Nancy Tappe. Se o leitor estiver interessado, poderá procurar suas obras indicadas no final deste livro.

A energia Índigo

A frequência Índigo é uma qualidade energética que pertence a uma alta vibração espiritual. Vibração alta significa um estado iluminado de ser. Já ouvimos falar, nos últimos anos, que terminou a Era de Peixes e se iniciou a Era de Aquário. A mudança de uma Era astrológica significa não apenas uma substituição de energia que se projeta sobre o planeta, como também a vinda a esse plano de um novo grupo de seres que até agora não havia encarnado, segundo Aisenberg e Melamud. Sobre essas mudanças e transformações também nos fala Marilyn Ferguson, em seu excelente livro *A Conspiração Aquariana*, no qual, como boa jornalista que é, apresenta inúmeros dados, fatos e depoimentos que atestam esse movimento de energia. Ferguson aborda, fundamentalmente, as transformações ocorridas desde a década de 1960 nas diferentes áreas do conhecimento, da ciência, do trabalho e dos relacionamentos, as quais fazem parte do processo de transição, da humanidade e do planeta, da terceira para a quarta dimensão.

Quando se fala em dimensões, aqui, estamos nos referindo aos diferentes níveis de consciência ou do espectro da consciência ao qual se refere Ken Wilber. É importante ressaltar, também, um princípio comum aos seres humanos e a todo o Universo: a energia. Conforme sabemos, e como bem enfatiza Isolina Romero, psicóloga e terapeuta mexicana, especializada em atendimento a Índigo, a matéria tem energia como resultado de seu movimento. Todos os átomos estão em constante movimento, sejam partículas de uma mesa, de uma cadeira, de uma nuvem ou de um ser humano. A velocidade do movimento dos átomos determina a densidade ou a sutileza da energia. É por isso que um sapato, um relâmpago ou a alma não têm a mesma frequência vibracional. Tudo o que existe, visível ou invisível, é energia em movimento.

Outra observação importante, dita em linguagem científica, é a do Prêmio Nobel de Física Illya Prigogine, que afirma: "Seja o que chamamos de realidade, ela só nos é revelada através de uma construção ativa da qual participamos". Na física quântica, essa dependência do ser de uma coisa em relação ao seu ambiente geral é chamada de "contextualismo" e suas implicações são muitas, tanto para nosso conceito de realidade quanto para nosso entendimento sobre nós mesmos como parceiros nesta realidade, afirma Dana Zohar (*O Ser Quântico*, p. 51). O contextualismo, segundo ela, é uma das razões que a levam a afirmar que a física quântica (e sua teoria) deverá finalmente contribuir para uma nova visão de mundo, com suas próprias e distintas dimensões epistemológicas, morais e espirituais. Encarnar neste planeta significa adentrar um campo físico cuja natureza energética é densa e dual, afirma Robert Happé, em seu livro *Consciência é a resposta*. E, para que a alma possa ancorar a consciência do amor em um mundo de características vibracionais tão desafiadoras, nos são oferecidas certas ferramentas que nos ajudam nesta tarefa, diz Happé (p. 35). As ferramentas referidas por ele são os quatro elementos presentes no planeta: o corpo mental (elemento ar), o corpo emocional (elemento água), o corpo físico (elemento terra) e o corpo espiritual (elemento fogo), através dos quais viaja a alma.

A alma pode ser compreendida como um campo eletromagnético atraindo energia para si. Ela se movimenta por intermédio do Universo como uma entidade curiosa, sempre aprendendo sobre a vida, através dos vários planos dimensionais existentes. No momento da criação, explica Happé, a alma é presenteada com as mesmas qualidades do Criador Universal. Essas virtudes são conhecidas como leis anteriores da alma e são, também, absolutamente confiáveis. É assim que, quando tomamos a decisão de confiar em nosso Eu Superior (ou Interior), naturalmente nos conectamos com o entendimento, o amor, a harmonia, a coragem e a sabedoria, que são natureza intrínseca da alma. A alma é um centro magnético que atrai energia para si, como dissemos há pouco. Energia significa informação, e informação é luz, que, por sua vez, é energia, relaciona Happé.

No sentido de ilustrar essas questões e mostrar como a vibração mais sutil e elevada de um ser lida com a chegada num corpo físico de vibração mais densa, resulta interessante o relato de um menino Índigo argentino, chamado Flavio Cabobianco, autor de um livro intitulado *Vengo del Sol*, em que conta suas lembranças de antes de nascer:

Tenho mais lembranças de antes de nascer do que de meus primeiros três anos de vida. Antes de nascer vejo tudo, tenho todas as perspectivas. Minha visão não tem limites, porque não tenho olhos físicos. Pela primeira vez, estou próximo de um planeta tão denso. Fui me preparando, passando por outros planetas onde podia ensaiar o físico. Era como aprender a escrever no ar, sem usar o lápis. Porém, isso é muito estranho, vou ter um corpo material. Eu trago dados básicos para poder estar aqui: sim e não, tempo e espaço. Este é um mundo de opostos.

Recordo centenas de bolas luminosas, todo ser vivente é uma bola de luz. Vejo algumas que podem me ajudar a viver neste planeta tão duro. Vejo duas possíveis mães: uma com ego forte e outra com ego mais suave, porém justo. Esta última está acompanhada por outra bola de luz que brilha muito; agora posso dizer que com a cor verde e violeta. Eles me atraem porque estão unidos pelo amor. Serão meus pais. Sei que tenho que ir. Começo a sentir-me cada vez mais atraído até eles. Aparece um túnel luminoso; ao redor há obscuridade. Quando entro me sinto muito apertado, muito fechado.

Para mim, nascer neste mundo é como morrer para os humanos: é passar para um plano difícil e desconhecido. Quando entro em minha mãe, começa o processo físico de minha vida. Eu vou até sua mente, porque é a parte mais sutil que encontro; desde aí, dirijo a evolução de meu corpo. Ao nascer, sigo preso à mente de minha mãe, ainda que meu corpo já esteja sobre a Terra. Creio que por isso não me lembro de nada pessoal até os três anos de idade: seguia muito unido a ela. Depois, minha mãe me contou que durante todo esse período via o mundo de modo muito estranho, diferente e, claro, isso me ocorria porque eu tratava de entender o mundo através de sua mente.

Falamos, inicialmente, que a frequência vibracional varia de um sapato para um relâmpago e para um ser humano devido à velocidade de movimento dos átomos. Pois bem, é importante compreender também que a frequência vibracional varia de acordo com as diferentes longitudes de onda que a conformam. E que a longitude de onda é a distância que existe entre uma crista e outra de uma frequência, como explica Romero. Tudo isso para compreendermos por que a cor da aura dos Índigo é azul. Ora, a cor é um fenômeno físico da luz ou da visão, associado com as diferentes longitudes de onda na zona visível do espectro eletromagnético. Cabe lembrar que a luz visível, assim como as ondas de rádio e os raios X, são faixas desiguais de um único espectro. E a cor azul, bem como a azulidade, só existe e só é percebida em função das outras cores do espectro de sua existência. Isso confere um enfoque universal e unificador. E, desta mesma forma, podemos compreender a consciência como um espectro eletromagnético e suas diferentes manifestações como variações desse espectro, as quais têm uma coloração correspondente (Wilber, *O Espectro da Consciência*, p. 16 e 17).

Depois desses esclarecimentos, lembramos que muitas almas Índigo lutaram, como pioneiras, para romper barreiras e poder desenvolver seus dons e talentos. Com enorme esforço, abriram caminho e serviram de ponte para as gerações Índigo vindouras. As Crianças Índigo que chegam agora, mais recentemente, possuem uma vibração bem menos densa, quer dizer, mais sutil, dentro da qual é possível expressar e expor muito mais virtudes da alma do que em etapas anteriores, conforme Aisenberg e Melamud (p. 36). Energia é consciência e consciência é luz. A luz se irradia e se propaga, como já vimos, através de ondas. Esses "novos" seres humanos que chegam, em número cada vez maior, com um padrão de frequência vibratória diferenciado e um grau de consciência mais evoluído, são capazes de afetar os outros com sua energia, vale dizer, com sua luz, a luz de sua consciência. A vinda desses seres humanos mais evoluídos para a Terra permitirá que tanto adultos quanto crianças que não são Índigo evoluam e elevem sua própria vibração, aumentando seu estado de consciência.

De acordo com Aisenberg e Melamud, isso pode ser explicado por meio do princípio de ressonância, que estabelece que a vibração mais baixa ou densa se alinha sobre a vibração mais elevada e sutil. Assim, em um futuro não muito distante, toda a cultura e a raça humana vibrarão na frequência Índigo, manifestando um salto evolutivo em toda a humanidade, sendo provável, até, que num processo simultâneo outras frequências ainda mais elevadas, como a chamada frequência Cristal, já estejam vibrando em uma parcela significativa da população terrestre e dando prosseguimento ao nosso caminhar evolutivo em direção ao nosso propósito de vida.

A visão da Psicologia Transpessoal e os Índigo

Somos as abelhas do invisível. Loucamente juntamos o mel do visível para armazená-lo na grande colmeia dourada do invisível.

R. M. Rilke, *Carta a Hulewicz*

Em seu livro *A conspiração aquariana*, Marilyn Ferguson analisa o processo revolucionário da década de 1960 nos Estados Unidos e suas consequências e impactos nas áreas científica, filosófica, religiosa, econômica e social. Ela descreve e analisa as contínuas manifestações de oposição ao sistema, características da época, e o frontal questionamento dos paradigmas vigentes. Tudo indicava o surgimento de uma cultura dita alternativa. Ferguson qualificou os grupos de pessoas dos mais variados segmentos sociais envolvidos na criação dessa cultura alternativa como "conspiradores aquarianos". Ela explica que o termo "conspirador" significa "respirar junto" e afirma: "Há legiões de conspiradores. Eles estão nas companhias, nas universidades, nas fábricas, nos hospitais, nos órgãos estatais, nos gabinetes médicos, em organizações voluntárias e, virtualmente, em todas as áreas de decisões políticas do país. Há também milhões de outros que nunca pensaram em si mesmos como 'conspiradores', mas que sentem que suas experiências, lutas e inquietações fazem parte de algo maior, de uma transformação social mais ampla e cada vez mais visível".

Os chamados "conspiradores aquarianos" buscam caminhos para a transformação pessoal e social nas redes ou agrupamentos que se formam a partir de uma conexão entre pessoas com os mesmos interesses. Eles não estão interessados em uma afiliação nas formas tradicionais, descreve Ferguson. Tais "conspiradores" são atraídos por temas e reflexões acerca da mudança de paradigmas, transformação social, experiências místicas pessoais, tecnologia apropriada, descentralização, lançamento de ponte entre Oriente-Ocidente, comunidades intencionais, simplicidade voluntária, formas criativas que permitem ajuda mútua, modelos de organização montados na base da confiança e da comunicação, vigor e liberdade de relacionamento. Essa cultura emergente propõe a renovação social mediante a modificação da consciência individual e coletiva, e aglutinação de uma nova ordem social. Percebe-se nesse processo uma ênfase na transformação social como resultante da transformação pessoal, a mudança de dentro para fora.

Consideramos necessária e importante essa contextualização, pois foi nessa mesma época que começou a chegar ao planeta um número mais significativo de Índigo. E, também naquela década, pode-se dizer que houve avanços nos estudos relacionados à "expansão e exploração" da consciência. E, embora em parte esses estudos ainda integrassem manifestações culturais e do movimento conhecido como "Contracultura", as sementes e as bases foram lançadas para avanços significativos nessa área e para o surgimento da chamada Quarta Força, no campo da Psicologia. A Psicologia Transpessoal, como expansão da Psicologia Humanista, surgiu oficialmente em 1968 e adotou uma nova visão sobre o ser humano, fundamentada no conceito de autotranscendência e na inclusão e valorização da dimensão espiritual de todos os seres humanos. Oriundo da Psicologia Transpessoal, o termo psicoespiritualidade surgiu mais recentemente para se referir à união entre o conhecimento do ego e o conhecimento da alma.

De acordo com a Psicologia Transpessoal, podemos e devemos reconhecer um potencial humano para experimentar uma ampla gama de "estados alterados de consciência". Esses estados, que muitas vezes implicam uma expansão de identidade para além dos limites usuais do ego e da personalidade, são considerados potencialmente úteis, saudáveis e com funções específicas, conforme Vaughan (*in* Tabone, 1980, p. 98). A Psicologia Transpessoal e, mais especificamente, a psicoespiritualidade representam uma nova etapa da ciência e do conhecimento humano, fazendo parte das pesquisas de ponta sobre o desenvolvimento da mente humana, com perspectivas promissoras, possibilitando-nos uma nova atitude diante da ciência e das religiões, de acordo com Vera Saldanha. A visão do mundo na Psicologia Transpessoal é a de um todo integrado em harmonia, onde tudo é energia, formando uma rede de inter-relações de todos os sistemas existentes no Universo (p. 34).

A Psicologia Transpessoal volta-se para uma visão holística do ser humano, o qual é compreendido como sendo um ser biopsicossocioespiritual, integrando os estados modificados de consciência em sua ação terapêutica e que visa ao crescimento espiritual do ser humano, considerado básico para sua humanização mais completa (Tabone, p. 102). Essa abordagem valoriza e facilita a vivência das experiências transcendentais tidas como oportunidades potencialmente valiosas para o crescimento e o desenvolvimento humano. Abarca o indivíduo em sua totalidade e facilita, através da aceitação, principalmente, sua percepção da totalidade, desenvolve sua unicidade, ao mesmo tempo em que desenvolve sua especificidade, ou seja, um sentido mais claro de algo que lhe compete e a ninguém mais: seu propósito e sua missão de vida.

Por intermédio da visão e da abordagem transpessoal, a pessoa sente-se realmente fazendo parte de um todo maior, mais ordenado, sábio, em comunhão com todos os seres. É a plena interação no seu momento presente. E o resultado de tal processo de elaboração é integrado na dimensão existencial do ser, trazendo um refinamento de experiência cada vez maior, dando um sentido à sua vivência, à sua própria vida (Saldanha, p. 79). Ora, os Índigo e suas auras de coloração azul pertencem a uma frequência vibracional mais elevada e de expansão da consciência de uma raça. As características mais marcantes dessa frequência são a hipersensibilidade, a intuição e a espiritualidade, de acordo com Paoli (*in* Josenildo Carvalho). Essa frequência vibracional Índigo é típica da quarta dimensão. Nela, a consciência expandida permite perceber o tempo multidimensional, onde tudo tem uma sucessão simultânea. Nessa dimensão consciencial, a visão holística de um todo maior e de suas partes inter-relacionadas funcionando de modo interdependente é subjacente. Nesse nível, a verdade, os valores mais elevados, o amor e o sentido da vida estão ativados e a energia vibra no sentido de um realinhamento com a unidade que somos e que a tudo envolve.

Neste sentido, pode-se afirmar que a abordagem transpessoal e a psicoespiritualidade, além de nos ajudarem a compreender esses seres diferentes – os Índigo –, podem oferecer orientação e cuidados muito mais adequados, primando pela ética amorosa. Nada pode ser mais elevado do que os princípios éticos que derivam do amor. Tendo em vista que estamos falando de seres que representam uma nova humanidade, o aperfeiçoamento de toda a espécie humana, e que eles serão os líderes de nossa sociedade futura nos mais variados segmentos, parece-me imprescindível e urgente que lhes dediquemos nossos melhores recursos. O que lhe parece?

CAPÍTULO

2 Características dos Índigo

Quem sou – Mensagem de um Índigo

Ingrid Cañete

Não me peçam para dizer,
Não me peçam para falar,
Apenas me permitam sentir.
Não digam o que devo pensar,
Nem pensem por mim,
Por favor.
Não ousem afirmar quem eu sou,
Pois vocês não alcançariam.
Venho de um lugar distante,
Milhas e milhas à frente.
Se desejam conviver comigo,
Estejam prontos para a aventura.
Aprender e ensinar.
Se desejam me proporcionar
O maior bem, a vida,
Abram o coração,
Os ouvidos e todos os sentidos,
Simplesmente, o seguirão.
Abram o coração
E permitam-me fazer o mesmo.
É minha única linguagem,
Minha única canção,
O coração...

Você, leitor, já deve estar ansioso por descobrir, a esta altura, quais são as características dos Índigo e como podemos identificá-los. Nancy Tappe explicou, em entrevista concedida a Lee Carroll e Jan Tobber (2000, p. 10), que existem basicamente quatro tipos de Crianças Índigo. São quatro tipos de personalidades com um espectro que se estende a 12 personalidades dentro da dinâmica Índigo, ou seja, em cada tipo há três tipos adicionais de personalidades. Cada um dos tipos de personalidade possui um propósito. Isso significa que as características distintas de cada uma dessas personalidades estão relacionadas à realização de um propósito e missão de vida. Essas características e também os dons e os talentos "servem" para que o ser, assim dotado, possa realizar a missão que trouxe para esta existência. Nada é por acaso, tudo tem um sentido! Além disso, Nancy esclarece que nenhum desses tipos ou personalidades é puro. O que acontece, e podemos observar, é uma predominância de um tipo, mas com a presença de características de outros tipos. Segundo ela, existem três subtipos ou combinações de características, dentro de cada um dos tipos, como veremos a seguir.

1. Artista: É muito sensitivo e possui o corpo pequeno, com algumas exceções. É uma criança muito criativa. Nesse grupo estão mestres e artistas de amanhã. No campo da Medicina, são os cirurgiões. Entre os 4 e os 10 anos, envolver-se-á em pelo menos 15 atividades criativas, às quais dedicará não mais do que cinco minutos, a cada uma, e depois as abandonará. A melhor recomendação às mães de músicos e artistas é que não comprem, mas aluguem instrumentos. O Índigo artista pode trabalhar com cinco ou seis instrumentos diferentes e na adolescência escolherá um e se converterá em um grande virtuose.

2. Conceitual: Mais interessado em projetos do que em pessoas. Engenheiros, arquitetos, desenhistas, astronautas, pilotos e militares de amanhã estão entre as profissões desse Índigo. O conceitual é uma criança muito atlética e controladora: controle exercido pela menina sobre a mãe e pelo menino sobre o pai. Entre suas fragilidades, está a adição, especialmente a drogas, durante a adolescência. Os pais precisam vigiar constantemente seu padrão de comportamento. Quando o conceitual começar a esconder coisas ou a pedir para ninguém se aproximar de seu quarto, é sinal de que é hora de uma visitinha para uma revisão preventiva.

3. Humanista: Destinado a trabalhar com as massas e lhes servir. Pertencem a este grupo médicos, advogados, professores, comerciantes e políticos de amanhã. É hiperativo e extremamente sociável. Fala com todo mundo e de forma sempre muito amigável. Seu ponto de vista é sempre bem definido. Ele tem um corpo um pouco torpe e, algumas vezes, pode chocar-se contra uma parede só porque esqueceu de "ligar os freios". O humanista desconhece um determinado jogo, mas não esmorece: desmonta todas as peças e, provavelmente, não voltará a tocá-las depois. Se você quiser que ele limpe o quarto, terá de muitas vezes lembrá-lo da tarefa, pois é muito distraído. Esse Índigo irá até o quarto e começará a limpeza, mas se surgir um livro à sua frente, interromperá a atividade e se dedicará a ler com voracidade.

Nancy conta que, certa vez, um menino de três anos criava rebuliço num voo. A mãe deu à criança um manual com as instruções de segurança do avião para distraí-la. O garoto sentou-se, aquietou-se e com uma expressão de grande seriedade percorreu o panfleto como se empreendesse uma autêntica leitura. Por cinco minutos, mesmo não sabendo ler, o menino estudou o material, confiante de que entendia tudo. Para Nancy, assim é o Índigo humanista.

4. Interdimensional: Tem porte físico mais robusto que os demais Índigo. Com um ou dois anos de vida, pode responder a qualquer observação feita pelos pais com frases do tipo: "Eu já sei", "Eu posso fazer isso" ou, ainda, "Não me incomoda". Ele trará novos paradigmas, novas filosofias e novas religiões a esse mundo. Essa criança pode converter-se em um adulto valente e presunçoso, pois é muito maior e não se encaixa em nenhum dos três tipos anteriores. Beneficia-se muito de práticas marciais que ajudam a canalizar sua energia.

Outras características de cada tipo, conforme Nancy Ann Tappe:

Artista:

- Trará a arte para todas as áreas.
- Criará novo paradigma em sua área de atuação.
- É direcionado para a arte e não precisa aprendê-la, sua intuição basta.
- Precisam de disciplina apenas para aperfeiçoar a técnica.
- Adora ser dramático!
- É intensamente criativo e trabalha arduamente em seu foco.
- Será um mestre, artista, cirurgião, investigador.
- *Fashionista*, não olha etiquetas de preços e adora coisas caras.

- Pode fazer-se de vítima.
- Brilha/faísca quando se apresenta/atua.
- Muito vulnerável à crítica, tem dificuldade de admitir erros.
- Vulnerável à posição social e à reputação.
- Sonhador, meticuloso e difícil de contentar.
- Foge da disciplina.
- É sensitivo e de corpo pequeno, miúdo.
- Afasta-se de pessoas estressadas.

Conceitual:

• É ótimo com projetos, introduz novos conceitos em tecnologia, design, processos mecânicos.

• Será engenheiro, arquiteto, programador de computador, designer, astronauta, piloto e militar.

• Pouco sociável: se as pessoas têm a ver com seus projetos, se entrosa; se não, isola-se.

• Aprecia estabilizar/controlar processos e é metódico no trabalho, podendo ficar longas horas mergulhado em seus projetos. Não suporta ser interrompido!

• Prefere trabalhar sozinho, devido à mania de controlar para que os outros não interfiram na qualidade/tempo de seus projetos.

• Raramente é hiperativo e gosta de manter sua energia estabilizada e sob controle.

• É mais politizado.

• Para ele as pessoas são ferramentas e, se não puder usá-las, descarta-as.

• Quando sua autoestima é atacada, fica muito bravo e tenta retomar o controle.

• É "adicto" por natureza, devendo seus pais monitorar para que tenha *adições saudáveis*!

• Tem facilidade para sair de uma depressão, por ser analítico e focado.

• É uma criança muito atlética e controladora, sendo a que mais trata de controlar a mãe, se for menina, e o pai, se for menino.

• Gosta de artes marciais, esportes e religião que lhe ofereçam disciplina.

Humanista:

• É a maior parte dessa geração.

• Veio trazer novos *insights* sobre as relações humanas.

• Fala sobre qualquer coisa com qualquer pessoa!

• É fisicamente ativo e excelente comunicador.

• Muito informal na forma de ser.

• *Solta faíscas* quando está com pessoas de quem gosta.

• Adora provocar/implicar com os outros.

• É naturalmente bom e engraçado.

• Trabalhará com as massas, será médico, advogado, professor, comerciante e político.

• Carinhoso, com necessidade de estar com outras pessoas.

• Pontos de vista bem definidos.

• Não sabe como jogar um jogo, mas desmontará todas as peças e, provavelmente, depois não voltará a tocá-lo.

• É muito distraído, mantendo atenção por curto espaço de tempo em algo.

• Aborda o trabalho de forma "Zen".

• A música é sua terapia.

Interdimensional:

• É a minoria dos Índigo, pois lhe é muito difícil estar em um corpo físico, ajustar-se a ele.

• Está à frente de seu tempo: sua mensagem é para um tempo que ainda virá!

• Porte físico avantajado e muito curioso sobre o corpo humano e seu funcionamento!

• Aparência destacada e ar de superioridade.

• É visto pelos outros como excêntrico, esquisito, sobrenatural e/ou misterioso.

• Para manter-se em equilíbrio, necessita de visão introspectiva, de autocontrole e de satisfação externa.

• Calmo e sereno, despreocupado.

• Pensador abstrato.

• *Está esperando que o mundo se dê conta de que ele está certo!*

• *Chama a atenção para causas sociais e tem preocupação filantrópica.*

• Pode ter dificuldade de relacionamento com seus pares.

• Pode ser "aluno-rompedor", pois seus processos de pensamento são diferentes dos *normais.*

• Frequentemente faz barulhos estranhos, peculiares.

• É considerado autista e rotulado assim devido a sua pronunciada necessidade de isolamento e quietude para que possa realizar seus dons, cumprindo seus fins e missão aqui.

• Oferecerá soluções para os problemas sociais do mundo.

Conforme Doreen Virtue, Ph.D., Doutora em Filosofia, autora de diversos livros, Metafísica e Conselheira psicológica nos Estados Unidos, as características relacionadas a seguir ajudam a identificar uma Criança Índigo:

• Alta sensibilidade.

• Excessiva carga de energia.

• Suscetibilidade a aborrecimento e atenção por curtos períodos de tempo.

- Busca amparo em adultos seguros e emocionalmente estáveis.
- Resiste à autoridade se não for democraticamente orientada.
- Aprendizagem por métodos e caminhos não tradicionais com prioridade à leitura e à matemática.
- Tendência à frustração, pois, mesmo dona de grandes ideias, enfrenta carência de recursos e de pessoas para concretizar seus pensamentos.
- Aprendizado pela exploração, mas resiste à memorização pura e simples.
- Irrequieta, não se mantém sentada por muito tempo, a menos que esteja absorta em algo de seu interesse.
- Muito compassiva. Teme a morte, especialmente a perda de quem ama.
- Fracassos vividos muito cedo provocam desistência ou bloqueios na aprendizagem.

Parece muito interessante e importante destacar também algumas singularidades dos Índigo indicadas por Ivonne Mencken, autora do livro *Como Convivir con un Índigo*. Segundo Ivonne, essas particularidades contribuíram muito para que esses seres humanos fossem chamados de "crianças de um novo tempo":

- Maior sensibilidade e gentileza comparadas às demais pessoas. Muitas manifestam precocemente que nasceram na Terra para fomentar o amor, a paz e um estado natural de felicidade.
- Manifestação precoce de um sentido e propósitos muito concretos na vida, como existir com maior intensidade, atuar bondosamente e cancelar a crueldade sobre as criaturas dos demais reinos viventes. os Índigo não suportam atos violentos e não admitem coações ou ameaças. Costumam dar respostas pontuais e certeiras nas situações em que se sentem chantageados ou manipulados.

• Hipersensibilidade emotiva, espiritual, intuitiva e anímica. Fazem observações muito sutis, não como se fossem adultos de tamanho reduzido, mas como crianças plenas.

• Hiperatividade com todos seus matizes. As Crianças Índigo não prestam muita atenção aos trabalhos escolares que não as motivem absolutamente. Entretanto, aprendem rápida e facilmente com as experiências diretas e não aceitam de modo algum as imposições institucionais, sejam de cunho religioso ou de qualquer outra inspiração.

• Quando se percebem submetidas a imposições arbitrárias, isolam-se em si mesmas ou na relação com uma amizade da mesma frequência mental que a sua. Podem ter sonhos de grande riqueza onírica. Com muita frequência, contam histórias sobre realidades que soam algo sobrenatural aos adultos convencionais.

• Costumam defender solidamente seu direito às coisas que consideram necessárias às suas vidas. Não se trata de caprichos de uma criança consumista que deseja certa guloseima, mas de algo que para ela é essencial como respirar, estar em contato com a natureza, pisar descalça na terra, tomar banho de chuva ou ter contato com os animais.

Depois de desfilar as características e particularidades dessas crianças, cabe ressaltar que nem todas são hiperativas ou sofrem de ADD (*Attention Deficit Disorder* – Transtorno do Déficit de Atenção) ou de ADHD (*Attention Deficit Hyperactivity Disorder* – Transtorno do Déficit de Atenção/Hiperatividade), assim como nem todos os portadores de ADD ou de ADHD são Índigo.

É também fundamental esclarecer que os Índigo não apresentam, necessariamente, todas as características aqui identificadas. O mais provável é que possuam uma gama significativa dessas particularidades, com predominância de um dos tipos de personalidade citados anteriormente. Nesse sentido, Nina Llinares destaca uma marca comum a todos eles: são emocionalmente adultos. Comportam-se como crianças "normais", porém há algo especial em seu olhar. Existe uma energia de calma, descreve Nina, de que tudo está bem em seu interior. A frequência Índigo caracteriza indivíduos cujo enfoque de vida está baseado em ser e sentir, ou seja, a forma de expressão que corresponde ao coração, ao chacra (um dos centros receptores de energia do corpo humano) do coração.

Para os Índigo, não é importante ter metas, marcar um prazo para alcançá-las, nem ter objetivos que devam ser cumpridos em um determinado período de tempo e que reflitam um ego forte. Não sentem necessidade de demonstrar ou provar nada para ninguém. A maioria dos adolescentes Índigo não se interessa pelos valores do ego e da antiga pauta social. Não desejam nem necessitam provar nada, nem quem são, seguindo certos padrões estabelecidos. Ao contrário, os Índigo surgem com o propósito de mudar, de questionar os valores e padrões preestabelecidos e de transformar a sociedade que aí está. Eles definitivamente não vieram ao mundo para se encaixar, enquadrar-se ou serem moldados. São essencialmente "guerreiros da luz" e "rompedores" de padrões, de paradigmas e de normas. São os que perguntam, sempre, os porquês de tudo e que encontram muitas – disse muitas (!) – soluções para um único problema. São aqueles que, muitas vezes calados por longo tempo, de repente despontam com uma observação ou reflexão simplesmente brilhante!

Certa vez, Bernard Shaw disse que existem dois tipos de seres humanos: os que olham para tudo o que existe e sempre perguntam por quê?, resistindo ao novo e às mudanças, à renovação; e aqueles que sonham com as coisas que ainda não existem e perguntam: por que não? Estes últimos são os Índigo, sem dúvida! É impressionante notar, também, a incrível capacidade de essas crianças expressarem com clareza, em palavras e ações, o que sentem, sejam emoções ou pensamentos. Isso ocorre desde muito cedo, e até mesmo antes de começarem a falar.

Como exemplo dessa capacidade, citamos a experiência vivida por Marie-Heléne Dubois, mãe de Ali, que com apenas dez meses de vida conseguiu empurrar uma cadeira até a cozinha da casa da família. Sua mãe incomodou-se com o fato, ralhou com o garotinho e disse que não havia espaço para uma cadeira no local. Marie-Heléne retirou o móvel, colocando-o de volta no lugar. Ali não chorou e foi brincar em outro cômodo. Três horas depois, a mãe deu-se conta de que uma das três lâmpadas da cozinha estava queimada e precisava ser trocada. Só então compreendeu por que o filho havia trazido a cadeira até a cozinha: ele queria ajudá-la a trocar a lâmpada. Por ser tão pequeno, não soube expressar. Marie-Heléne sentiu-se tão culpada que, desde então, prometeu a si mesma que prestaria mais atenção nas razões e nos porquês do comportamento de seu filho antes de incomodar-se ou chatear-se com ele (Carroll e Tober, 2003, p. 33 e 34).

Existem muitos outros exemplos de como os Índigo manifestam suas características e singularidades. Deixaremos esses exemplos para o capítulo sobre depoimentos. Em todos esses anos em que tenho observado crianças, conversado com elas e com os seus pais, seja profissionalmente ou mesmo socialmente, tenho percebido e identificado a transformação em marcha e a dimensão dessa transformação. Tive, até, a grata experiência de contar com filhos de alunos, na Universidade, participando das minhas aulas e fazendo a apresentação de trabalhos junto com seus pais.

Lembro-me de um caso em especial: uma aluna pediu permissão para trazer sua filha que, na época, tinha uns 8 ou 9 anos, pois não contava com quem deixá-la no turno da noite. Como a aluna trabalhava o dia inteiro, seria uma forma de as duas ficarem juntas. Concordei e fiquei impressionada com a participação da menina nas aulas, sua maturidade, a seriedade com que encarava as lições e quanto eram adequadas e inteligentes suas contribuições. Chegou o dia em que o grupo de sua mãe teria que apresentar um trabalho. O tema eram os diferentes canais e linguagens utilizados na comunicação. Os integrantes do grupo informaram que a menina havia participado da construção do trabalho e que apresentaria a última parte, sugerida por ela, à turma.

Então, criou-se uma expectativa especial em torno daquela apresentação. Todos sentiram que seria diferente. O grupo apresentou o trabalho e, no encerramento, a menina anunciou que falaria sobre a linguagem dos sinais utilizada pelos deficientes auditivos e sobre a comunicação dos deficientes visuais. Ela falou tão bem, com tanta compenetração e seriedade misturadas à emoção, que o silêncio, na aula, era absoluto. A garotinha terminou sua apresentação usando a mímica dos sinais para enviar uma mensagem de amor e compreensão a todos. Foi um momento muito lindo e emocionante, uma verdadeira lição de vida. Todos levantaram para aplaudi-la. Lágrimas escaparam pelos olhos. Jamais esquecerei.

Após todos esses anos de estudo e de observação, evidenciam- se alguns sinais claros de que estamos diante de crianças "diferentes". Aqui vão alguns:

- Não aceitam o "não porque não" como resposta. Exigem argumentação sincera, plausível e não aceitam "enrolação".
- Seu olhar é muito profundo.
- Têm maturidade de um adulto.
- São calmas e donas de uma paz interior.
- Possuem alto grau de energia que precisa ser investida.
- Donas de inteligência emocional e espiritual.
- Não sentem medo.
- Sabem quem são e o que vieram fazer na Terra. Conhecem sua vocação e missão de vida.
- São lideranças naturais, reconhecidas e não impostas.
- Demonstram supersensibilidade.
- São especialmente criativas.

• Têm grande interesse ou mesmo atração por temas ligados à magia, percepção extrassensorial, misticismo, sentidos especiais e "superpoderes".

• Possuem amigos invisíveis com quem conversam e de quem recebem mensagens.

• Conversam com animais e garantem que estes conversam com elas.

Apresentamos algumas palavras-chave que podem ajudar a reconhecer um Índigo, segundo Nina Llinares (p. 30):

- Autonomia.
- Calma interna.
- Capacidade convocatória.
- Carisma.
- Criatividade.
- Desassossego externo (até conseguirem expressar quem são).
- Energia de cura em suas mãos, a qual precisa ser drenada.
- Entusiasmo.
- Equilibrado sentido de risco.
- *Expert* em recursos, com saída e solução para tudo.
- Humildade.
- Independência.
- Inovação.
- Inteligência emocional.
- Liderança.
- Originalidade.
- Responsabilidade.
- Solidariedade.

CAPÍTULO 3 Meu filho é um Índigo?

O azul dos azuis

Ingrid Cañete

Me pego pensando e sonhando em azul.
Me vejo sentindo tudo em azul.
Será que é isso que chamam de céu?
Estou delirando ou tendo visões?
Estou azulando, mudando de cor,
E me distanciando de tudo ao redor.
Sou tão diferente de dias distantes
E também tão distinta de dias atuais.
Eu sou colorida, azul como o Pai Celestial.

Você já deve estar se perguntando: será que meu filho é um Índigo? Se não tiver filhos, poderá estar tentando identificar características dessas crianças diferentes em seus sobrinhos, alunos e/ou filhos de seus amigos. Estou certa? O tema é tão impressionante e apaixonante que torna esse tipo de reação inevitável. Em todas as ocasiões em que mencionei o assunto, mesmo que de forma bem superficial ou sutil, recebi inúmeras perguntas e percebi uma curiosidade e, mais do que isso, um interesse do tipo: "Espera aí, isso tem algo a ver comigo, quero saber mais!". Em algumas palestras em que mencionei o termo e o tema, principalmente os pais, pais jovens inclusive, mostraram-se muito interessados e chegaram a me procurar depois para receber maiores informações. Houve situações em que, mesmo sem mencionar o assunto, e aí me surpreendi muito, vieram pais me falar sobre seus filhos e sobre a forma luminosa e especial com que eles tinham chegado ao mundo e como se mostravam diferentes e especiais!

Desde que tomei conhecimento dos Índigo, tornei-me uma curiosa e apaixonada pelo tema, e, é claro, transformei-me em uma observadora ainda mais atenta de crianças e pais que iam aparecendo e se aproximando de mim. Tive muitos contatos e experiências incríveis, e posso dizer que é maravilhosa essa energia, a frequência vibracional dos Índigo. Pude sentir que, assim como eu, muitos adultos e jovens respiraram aliviados depois de me ouvir falar sobre as características dos Índigo, e seu alívio tinha tudo a ver com uma sensação que eu mesma já experimentei, do tipo: "Ah, então sou normal, existem outros como eu! Que bom, não estou sozinho!". E, assim, muitos pais, mesmo que discretamente, enquanto me faziam perguntas cada vez mais curiosas, demonstravam-me em expressões e gestos um grande alívio e um olhar de "*Eureka!* Agora entendi tudo, por que meu filho(a) age assim! Existe uma explicação!".

Bem, José Manuel Piedrafita Moreno, estudioso do tema e ele próprio um adulto Índigo, propõe, em seu livro *Niños Índigo, educar en la nueva vibración*, um questionário como instrumento para a identificação de uma Criança Índigo. Aqui irei apenas apresentar essas características para que você as analise e relacione com aquelas apresentadas por seu filho ou por crianças que conhece:

- Aprende de uma forma diferente, mais pela prática do que pelo estudo.
- Não é importante para ele o passado cármico de outras pessoas.
- Come pouco ou tem alergia a certos alimentos.
- Tem um ou mais amigos imaginários.
- Foi diagnosticado como portador de ADD (Transtorno ou Disfunção de Déficit de Atenção) ou ADHD (Disfunção ou Transtorno de Déficit de Atenção com Hiperatividade).
- Pode prestar atenção em várias atividades ao mesmo tempo (como ler e ver televisão).
- Aprende muitas coisas diferentes, porém, quando sabe o suficiente, abandona o que está fazendo, pois se aborrece, cansa-se delas.
- Se não encontra compreensão e aceitação ao seu redor, pode tornar-se introvertido.

- Não responde à autoridade.
- Respeita se é respeitado.
- Pergunta frequentemente "por quê?".
- É um adulto em desenvolvimento.
- Sente-se estranho em seu entorno.
- Utiliza videogames, com jogos violentos geralmente, para gastar a energia que tem sobrando.
- A energia não canalizada ou direcionada a uma ação pode resultar em violência.
- Quando era bebê, seus sentimentos se refletiam nos olhos.
- Mesmo não sabendo falar, comunica mensagens com o olhar.
- Busca o contato com pessoas maiores, especialmente da terceira idade, para aprender com elas.
- Sugere ler os pensamentos, pois tem habilidades telepáticas bem desenvolvidas.
- Mesmo tendo problemas para prestar atenção, se algo lhe interessar, coloca toda sua energia nesse alvo.
- Emocionalmente se comporta de uma forma diferente, como um adulto sem cargas cármicas, pois muitos deles não costumam trazê-las.

Essas são as 21 características dos Índigo apresentadas por Piedrafita Moreno. Segundo Moreno, se você encontrar sete ou mais desses atributos em seu filho, pode ter certeza de que está diante de um Índigo. Além das características apresentadas, podemos observar alguns traços gerais que caracterizam os Índigo e que poderão ajudá-lo a identificar seu filho e outras crianças. os Índigo costumam realizar aprendizados e explorações pessoais sempre acompanhados de intensa atividade corporal. Segundo Ivonne Mencken e outros autores, a suposta hiperatividade é, antes de mais nada, parte de um processo de adaptação a um mundo muito diferente de toda a "programação" de sua estrutura molecular.

Afinal, os Índigo não vieram programados para questionar e para simplesmente adaptar-se. Os métodos vigentes de educação, a realidade sociopolítica dos países e os padrões tradicionais de relacionamento não estão inseridos em sua programação. Existe um outro traço importante manifesto por essas crianças: quando aceitam alguém, o fazem plenamente, mas quando acontece o contrário, elas demonstram claramente, sem deixar dúvidas, pois tornam-se totalmente indiferentes. É impressionante também o quanto podem mostrar-se absolutamente sérias quando um estranho lhes sorri, tenta brincar ou mesmo fazer graça com elas, demonstrando a não aceitação ou uma forma de limite.

Elas também não suportam ficar paradas em uma fila, seja para comprar um ingresso de teatro ou para qualquer outra ação. Não aguentam ficar imóveis por muito tempo durante uma aula enfadonha ou sem significado, com temas pobres. Essas situações lhes causam muita ansiedade, tornando difícil sua concentração. A tendência é de que passem a conversar com os colegas. Um outro aspecto importante se refere à imunidade dos Índigo. Segundo estudos científicos, o código genético dessas crianças as protege de muitas enfermidades. Entretanto, tem sido observado que Índigo que chegam à adolescência sem conseguir uma inserção harmônica, uma integração e uma interação saudável com o meio, podem sofrer de inúmeras doenças. A partir dos 6 ou 7 anos de idade, às vezes até mais cedo, começam a defender seus pontos de vista, suas opiniões e preferências de forma muito enfática e firme. E, aliada a essa característica, percebe-se que se revelam "muito adultos" nas respostas, nas argumentações e nos posicionamentos. Deixam os mais velhos muitas vezes boquiabertos e até impactados pela clareza e sabedoria das afirmações. Demonstram alto nível de inteligência espiritual.

Isolina Romero, atriz, escritora, uma adulta Índigo, mãe de três Crianças Índigo, psicóloga e terapeuta, autora do livro *Índigo: educación para padres*, publicado no México e ainda sem tradução para o português, oferece algumas indicações que também podem auxiliar na identificação dos traços Índigo. Vejamos algumas:

- Seu filho veio ao mundo com um sentido de realeza e age como tal?
- Ele demonstra ter um sentimento de merecer estar aqui e agora?
- Possui um exigente sentido de identidade?
- Apresenta dificuldades com a disciplina e a autoridade?
- Recusa-se a fazer certas coisas que lhe ordenam?
- É uma tortura para ele esperar em filas?
- Sente-se frustrado diante de sistemas estruturados e rotineiros que requerem pouca criatividade?
- Encontra melhores maneiras de fazer as coisas que lhe sugerem em casa ou na escola?
- É um inconformado?
- Recusa-se a responder à manipulação ou ao manejo mediante o uso da culpa?
- Aborrece-se facilmente com as tarefas que lhe determinam?
- Tem sintomas de déficit de atenção ou hiperatividade?
- Demonstra capacidade intuitiva?
- É particularmente criativo?
- Demonstra empatia ou preocupação pelos demais?
- Desenvolveu pensamento abstrato muito precocemente?
- É muito inteligente e/ou dotado?
- Tem disposição para sonhar acordado?
- Tem um olhar profundo e sábio?
- Manifesta pensamentos ou conceitos espirituais com naturalidade?

Se houver respostas positivas a pelo menos 10 questões, provavelmente seu filho seja um Índigo. Se forem mais de 15 respostas afirmativas, ele é quase definitivamente um Índigo.

Não me importa o que você sabe,
Quero explorar o desconhecido
E ser a origem de minhas próprias descobertas.
Que o conhecido seja minha alforria, não minha escravidão...

Mostre-me de maneira que eu possa
Subir em cima de seus ombros.
Revele-se para que eu possa ser
Alguma coisa diferente.
Você acredita que todo ser humano
Pode amar e criar.
Compreendo, por isso, seu medo
Quando lhe peço para viver de acordo
Com sua sabedoria.
Você não saberá quem eu sou
Escutando a si mesmo.
Não me instrua; deixe-me ser.
Seu fracasso é que eu possa ser idêntico a você.

Umberto Maturana, biólogo chileno

Todas as coisas são determinadas por forças que fogem ao nosso controle. Podem ser determinadas tanto pelo inseto quanto pela estrela. Seres humanos, vegetais ou poeira cósmica, todos dançamos ao som de uma misteriosa melodia entoada à distância por um flautista invisível. (Albert Einstein, Assim falou Einstein, de Alice Calaprice)

CAPÍTULO 4
A difícil missão de ser diferente

A vida em si já é bastante desafiadora. Há uma missão que está implícita: ser e, assim, sustentar a vida, manter seu sopro dentro de nós e ao nosso redor. Como se não bastasse tamanho desafio (ser), muitos nascem com esse desafio multiplicado, pois vêm para ser diferentes e, mais do que isso, vêm para desafiar o *status quo* através de suas diferenças, questionar padrões preestabelecidos e insistir em provocar as mudanças. Ao parar e refletir sobre a dor de ser diferente, sou levada por muitos caminhos de lembranças e memórias gravadas em antigos arquivos da mente. Inúmeros exemplos me ocorrem de personagens e suas histórias.

A primeira visão que me vem é a do Patinho Feio, personagem da famosa história infantil conhecida de todos nós, provavelmente. Lembro-me daquele bichinho que nasceu diferente, vítima do preconceito que o isolou de seu grupo. Ele nasceu feio se inserido nos padrões de beleza e de aparência ou estética esperados, aceitos e apreciados pela espécie, pela sua comunidade. Nasceu cisne em meio aos patos. Esse foi o desafio do Patinho Feio, rejeitado, humilhado e abandonado por todos, a tal ponto que passou a acreditar que realmente era feio e não merecia nada além do desprezo dos outros. Suportou a dor, o sofrimento, cresceu e se transformou no que ele realmente era, um belo cisne. E só descobriu isso graças à ajuda de outros cisnes, seres da sua espécie ou do mesmo "planeta" que ele, os quais apareceram para nadar no mesmo lago em que ele se encontrava. Os cisnes desempenharam o papel de espelho positivo, digamos, e refletiram uma imagem que ele não percebia. Afinal, tinha incorporado uma autoimagem negativa que formara nos primeiros anos de sua vida, com base na rejeição da família, principalmente.

Essa história sempre me tocou muito, desde criança. Havia uma forte identificação. Sempre chorava quando a escutava ou lia. Penso que esse conto ilustra bem a ideia do desafio de ser um Índigo e de ser, portanto, diferente. Há um misto de dor e de emoção, tipo excitação, na analogia. De um lado, a dor de ser diferente, de não corresponder às expectativas de outrem e, assim, de não ser querido, amado. Do outro lado, a excitação com a possibilidade de se tornar o cisne que sabemos habitar dentro de nós. Pois mesmo que, no início, não estejamos totalmente conscientes desse potencial, a energia está presente e agita, inquieta e excita, lá nos bastidores de nosso ser. É energia pura, como naquele filme intitulado, não por acaso, *Energia pura*.

Ser Índigo, viver nessa frequência vibracional, é estar "ligado na tomada" da vida, estar conectado diretamente ao todo, à fonte de tudo. Ser Índigo é ter todas as funções da mente e da consciência ativadas, é viver superestimulado, é adrenalina pura! Ser um Índigo é habitar várias dimensões ao mesmo tempo e se comunicar com elas permanentemente. Isso não é uma questão apenas de escolha anterior. É bem mais. Está em jogo uma missão de vida, aceita e assumida em um nível muito profundo de nossa consciência, a qual precisa ser despertada, resgatada. Enquanto isso não acontece, enquanto os Índigo não tomam consciência de quem realmente são, enquanto eles não são ajudados a compreender quem são e o que vieram fazer aqui, sofrem muito e podem se tornar inesperados e negativos, destrutivos mesmo, para sua vida e a de seus semelhantes. Podem se entregar, por exemplo, ao mundo das drogas, do crime, da perversão e de inúmeras condutas antissociais, chegando a cometer suicídio.

Parece que o primeiro desafio é perceber que somos diferentes, é sentir na pele essa diferença. Falo, agora, como Índigo que sou. É estranho dar-se conta de que nem todas as pessoas percebem a realidade como nós a percebemos, que nem todos ouvem vozes e recebem mensagens de entidades não materializadas em um corpo físico. É complicado o processo de dar-se conta de que as outras pessoas não sabem instantaneamente o que vai acontecer no futuro ou não captam como nós a verdade das pessoas antes mesmo que elas pronunciem alguma palavra. É muito difícil, até que nos "caia a ficha", entender que nem todas as pessoas conversam com amigos invisíveis, com anjos, ou têm visões reveladoras de uma realidade que está acontecendo num tempo e dimensão paralelos, ou que ainda não aconteceu, mas vai acontecer, ou que recebem orientações de mestres, seres mais evoluídos e iluminados. É complicado para um Índigo lidar com as reações das outras pessoas, que o olham como se estivessem enxergando um extraterrestre ou um louco mesmo. Torna-se muito difícil, em especial, quando um Índigo, devido à sua hipersensibilidade, capta emoções mais profundas dos outros, lê os pensamentos ou mesmo enxerga os órgãos no interior do corpo de uma pessoa.

É o caso de uma jovem de 16 anos, na Rússia, que possui esse dom. A menina é procurada por centenas de pessoas, inclusive médicos, para auxiliar no diagnóstico precoce de doenças. Para poder ajudar com mais precisão, a jovem está sendo orientada a estudar fisiologia. O Índigo pode sentir, de forma pura e muito intensa nas outras pessoas, as emoções e os sentimentos negados ou inconscientes, pode sentir suas dores físicas e emocionais e, com isso, sofrer muito, muito mesmo. Pode mudar de humor e de disposição, muitas vezes repentinamente, devido ao contato com certas pessoas e sua frequência vibratória menos elevada ou mais baixa. Pode, em alguns casos, mudar seu estado de espírito e sentir-se mal, inclusive fisicamente, por captar e sentir as dores e os sofrimentos alheios, mesmo daqueles que não conhece ou com quem não está tendo contato pessoal. Pode sentir e absorver a dor à distância, pois sua sensibilidade funciona como uma antena parabólica. Ele mesmo não entende o que se passa, apenas sente e sofre, a não ser que seja ajudado, como já falei, no sentido de tomar consciência de suas características e dons, para melhor aplicá-los e poder usufruir dessas capacidades, que são, em última instância, dádivas divinas.

Um adulto Índigo que conheci conta que em sua adolescência passou "horrores". Essa mulher ouvia vozes, dia e noite, que lhe diziam coisas de todo tipo, boas e ruins, bobagens e também orientações. Mas aquilo era muito intenso e frequente e a cansava muito. Eram manifestações incontroláveis que ela não entendia bem. Muitas vezes era orientada a escrever as experiências, o que fazia até ficar exausta. Depois não sabia o que fazer com o material. A mulher Índigo não entendia aqueles acontecimentos e achava, às vezes, que estava ficando maluca. Sua família ficou assustada e chegou a interná-la diversas vezes para tratamento psiquiátrico, que incluía medicação, sonoterapia, enfim. Ela conta que sofreu e "penou" muito até encontrar as pessoas "certas", que a pudessem ajudar a compreender que as manifestações representavam um dom. Essa capacidade precisava ser entendida, estudada, canalizada adequadamente, para deixar de prejudicar e assustar a adolescente e os outros, transformando-se em um benefício para todos. Ela passou, então, a partir da orientação de uma terapeuta especializada em Psicologia Transpessoal e grande conhecedora da alma humana, de misticismo e de espiritualidade, a estudar e a equilibrar essa energia e esse dom em si mesma.

A mulher leu muito, aprendeu práticas importantes, como a meditação, sobre canalizações e sobre como assumir o comando de si mesma e sobre a hierarquia do mundo espiritual. Ao longo desse tempo, uma década mais ou menos, ela estudou, fez um curso universitário, tornou-se uma ótima profissional na sua área, atuando com sucesso por muitos anos. Até que recebeu um chamado, por meio de muitos sinais, de que deveria se voltar para outro campo de atuação, o da cura integral de Crianças Índigo e de animais. Desde então, tem trabalhado e se realizado pessoal e profissionalmente, ajudando muitos seres. Está em paz, em equilíbrio e em sintonia com seu Eu Interior, e realizando sua missão de vida de forma muito elevada. Quem a conhece não tem dúvidas sobre isso. Ela tem uma filha adolescente que também é Índigo, ou até, possivelmente, seja da frequência vibracional Cristal, e que já faz espontaneamente trabalhos de cura espiritual. Portanto, após vencer o desafio de se descobrir diferente e de lidar com o olhar assustado, preocupado e preconceituoso, tanto quanto ignorante, dos outros, há que se contar com a sorte e a providência divina de encontrar pais, irmãos, professores, amigos, psicólogos ou outras pessoas que sejam sensíveis e capazes de ajudar, de compreender, de aceitar nosso jeito diferente de ser.

Muitos Índigo se escondem e são escondidos por seus familiares. Muitos montam estratégias sutis para se protegerem da sociedade, que pode chegar a ser muito, muito perversa com quem é diferente e, mais ainda, com quem "ousa" insistir em permanecer sendo quem é, diferente. O filme citado antes, *Energia pura*, que pode ser encontrado nas videolocadoras, aborda o tema dos Índigo e também das Crianças Cristal (com padrão vibratório ainda mais elevado) de forma sábia e sensível, vale a pena ser assistido. Trata-se da história de um menino que nasceu diferente, todo branco e com uma extrema sensibilidade à luz, com uma inteligência e sabedoria impressionantes e cujo organismo reage fortemente aos aparatos elétricos criados pelos humanos. Ele ficou escondido por muito tempo pela família, mas, quando fica só no mundo, é descoberto e passa a sofrer mais fortemente a imensa dor de ser diferente.

Existem infinitas formas de manifestação da vibração Índigo e de desafios para quem nasce com ela. Entre essas formas, encontram-se problemas físicos, orgânicos ou neurológicos que podem acometer as crianças durante a gestação. Elas podem nascer com alterações ditas congênitas ou devido a alguma ocorrência durante o período de gestação, ou mesmo no momento do parto. Podem ainda aparecer deficiências ou, digamos, "alterações" de comportamento ao longo da primeira infância, que fogem de um padrão aceito como normal pela ciência e pela sociedade. Por exemplo, a ausência da fala ou da expressão verbal, através das palavras, que podem aparecer mais tardiamente, em muitos casos devido ao fato de que os Índigo vêm preparados para se comunicar telepaticamente e, assim, não sentem necessidade de palavras por um bom tempo.

Vamos encontrar crianças com falta de movimentos nos membros inferiores e/ou superiores, com ausência ou inabilidade com a palavra, conforme já referimos, dificuldades ligadas à audição, ao equilíbrio e até mesmo com deformações ou malformações físicas. Podem também apresentar, concomitantemente com os problemas físicos, dificuldades de adaptação e de relacionamento com as outras pessoas, com o meio ambiente e com a socialização. Em uma situação extrema, encontram-se as crianças autistas, cujo número crescente de casos nos últimos anos, especialmente nos Estados Unidos, vem chamando a atenção de especialistas e causando muita apreensão e preocupação. As crianças diagnosticadas com esse comportamento se caracterizam por demonstrar inabilidade ou mesmo ausência de reação ao contato humano. São capazes de ficar longos períodos quietas, em silêncio e apartadas do ambiente que as rodeia, sem responder a nenhum estímulo. Desafiam até hoje as ciências que estudam o comportamento e causam sofrimento incalculável a pais e familiares.

Tem sido fortemente considerado nos últimos tempos, devido ao aumento significativo do número de casos, que as crianças autistas podem ser portadoras da frequência vibratória Cristal, de coloração branco-cristalino, mais elevada que a dos Índigo. Mais: que muitos desses seres estariam reagindo à chegada em seus corpos físicos e, principalmente, ao padrão vibratório mais baixo e, portanto, denso predominante em seu entorno, em seus pais e familiares. Sua frequência vibratória lhes confere tanta sensibilidade, especialmente a emoções de frequência baixíssima desconhecidas, como o medo e a culpa, que eles, ao serem concebidos e ao nascerem, teriam dificuldades sérias de manter-se conectados e ancorados nessa dimensão. Essas crianças ficariam emocional e espiritualmente conectadas a dimensões mais elevadas, o que caracterizaria seu estado de aparente indiferença aos demais seres e ao meio ambiente e seus variados estímulos. Esse é um tema que poderá ser explorado e melhor desenvolvido em outro momento e em outro livro. Se o leitor tiver interesse em saber mais sobre as crianças da frequência Cristal, poderá buscar informações em sites indicados no final desta publicação e também em meu livro *Crianças Cristal*.

Retomando o tema dos desafios de ser Índigo, imagine-se sendo uma criança ou adolescente que se descobre com uma capacidade ou dom de curar pessoas doentes, simplesmente estando perto delas, sem precisar falar, tocar nelas ou fazer qualquer gesto. É o caso de uma jovem de 16 anos, citada no livro *Homenaje a los Índigo*, de Carroll e Tober (2003), e cujos pais eram muito ocupados e despreparados para ouvi-la e ajudá-la. O que você faria se isso estivesse acontecendo com você, com seu filho ou mesmo com um familiar ou amigo? O que fazer, como lidar com essa situação? Afinal, não podemos ignorar que se trata de um dom, uma dádiva divina que deve ser honrada e respeitada, cuidada. Deve ser bem direcionada para que não se perca ou não seja desperdiçada ou mal utilizada. Esta é a proporção do desafio de ser um Índigo e de estar aqui e agora, neste planeta Terra, como um Índigo.

Orientações podem ser encontradas nos Capítulos 7 e 8, nos quais apresento caminhos e dicas para você se sentir mais acompanhado e apoiado daqui para a frente. A seguir, transcrevo tradução feita por mim de uma carta enviada por uma Criança Índigo a um professor e citada por José Manuel Piedrafita Moreno em seu site www.geocities.com/elclubdelosninosindigo:

Olá e obrigado por ler minha carta:

Eu sou essa criança que normalmente não para quieta em aula, aquela para quem você está dizendo que se cale. Aquela que às vezes, quando você explica, o entende antes que termine, porém, se tem que repeti-lo, se aborrece. Às vezes, posso ser muito mal-educada ou explosiva para chamar a atenção. Gosto de falar de temas que você acredita que não são para minha idade. Você está sempre dizendo aos meus pais que não posso aprender, entretanto, se algo me interessa, eu aprendo facilmente; porém, quando tenho conhecimentos suficientes, abandono o tema por aborrecimento. Não respondo à autoridade, e sim ao entendimento e às explicações. Aprendo por imitação, seu exemplo me é muito importante. Segundo você, estou sempre rompendo normas e criando novas.

Sou esse gênio "em potencial" que, se se fixasse em algo, seria o melhor...

Meus pais me levaram ao médico e dizem que tenho ADHD, uma coisa chamada Transtorno de Deficiência de Atenção com Hiperatividade, e isso quer dizer que não paro quieto, não posso manter a atenção durante muito tempo, me distraio facilmente e, além disso, sou hiperativo. O médico queria que eu tomasse ritalina (minha mãe disse que não e que essas drogas só criam drogaditos), então minha mãe investigou e há coisas que enfocam minha energia (esporte, artes marciais, tai-chi, ioga) e evita me dar alimentos com açúcar ou glicose, assim me sinto mais relaxado.

Não gosto que me tratem como uma criança, embora saiba menos sobre algumas coisas, isso não quer dizer que eu não saiba, estou em processo. Dê-me mais tempo para assimilar as coisas, pois aprendo de forma diferente. Se não aprendo da forma tradicional, por que você me ensina sempre da mesma forma? Quem sabe se fosse de uma forma mais prática? Estou perguntando sempre por quê? Isso não quer dizer que estou pondo-o à prova, mas simplesmente que tenho curiosidade!

Se não sabe a resposta, diga-me. Não me dê uma evasiva, guie-me até encontrar a resposta. Gostaria que me incluísse nas decisões que me afetam. Não sou simplesmente um aluno a mais. Eu gostaria que você reconhecesse que sou diferente, não que me classificasse como diferente. Não sou nem mais nem menos que você. Se você me explicasse para que estudamos e que para conseguir certas coisas necessito disciplina, eu reagiria de forma diferente.

CAPÍTULO 5 Encontro com os Índigo: histórias e depoimentos

Dentro de mim

Alexandre, um Índigo de 15 anos

Dentro de mim vivem dois;
Um vive o agora, o outro o depois.
Dentro de mim estão o enfermo e o são;
Um vive a realidade, o outro a ilusão.
Dentro de mim vive o mestre e o aprendiz;
Um fala com o coração, o outro faz o que a mente diz.
Dentro de mim estão a flor e o ouro;
O louco corre para a cobiça, o sábio replanta o tesouro.
Dentro de mim estão as trevas e a luz;
Uma que aos poucos sucumbe, a ou-
tra que vem e me conduz.
Mas, acima de tudo, existe um porém.
Dos que dividem os dois que existem em mim,
Um é amor, e o outro também...

Ao longo desses anos, em que tenho estudado e lido muito sobre os Índigo e as manifestações dessa frequência entre nós, encontrei-me com muitas crianças, jovens e adultos que estão nesse grupo de pessoas diferentes. Recebi depoimentos superespontâneos de pais, avós e professores ou dos próprios Índigo. Tudo foi muito, muito encantador e gratificante. Todos conhecem a lei universal da sincronicidade, suponho. Pois bem, quanto mais consciente me torno a respeito da natureza e da ação dessa lei, mais apaixonada fico, pois, por conta de sua perfeição e sabedoria pura, tenho tido a felicidade de ser levada ao encontro dessas pessoas e seus depoimentos, todas muito especiais e que têm contribuído espontaneamente para minha experiência nesse campo e para que eu possa estar escrevendo este capítulo e contando algumas histórias incríveis e muito tocantes para você, querido leitor.

O espírito de pesquisadora e observadora obstinada habita em mim, desde sempre. E assim, com esse espírito e ajudada pela magia da sincronicidade, todas as situações e acontecimentos de minha vida social, familiar e laboral tornaram-se oportunidades para descobertas na direção dos Índigo. Desejo esclarecer que, por uma questão de sigilo e ética, utilizamos nomes fictícios e suprimimos alguns detalhes de histórias e depoimentos aqui apresentados. Nosso objetivo é tão somente o de enriquecer a leitura e ilustrar, através de fatos reais, as informações anteriormente fornecidas.

Um bebê em um curso de meditação

Começarei por uma das histórias mais recentes que me foram relatadas. Estava eu acompanhando uma monja budista que chegara à nossa cidade para uma palestra em um congresso voltado para a qualidade de vida. A monja vinha falar sobre a criação de uma cultura de paz no planeta, tema que, evidentemente, me apaixona. Relatei para ela brevemente sobre as Crianças Índigo e sobre a esperança de criação da paz por meio desses seres humanos especiais. Falei de algumas características de um Índigo e salientei sua capacidade telepática. Foi quando a monja, encantada com a ideia, contou-me que, em um dos cursos de meditação que orienta, uma mãe estava levando seu bebê de um ano e meio junto com ela, pois não tinha com quem deixá-lo. Ao observá-lo, notou que tinha algo especial, um brilho muito intenso e uma força impressionante no olhar. Só que o bebê não parava quieto, movimentava-se pela sala, fazia barulho, sons próprios de um bebê. Os colegas de curso não estavam gostando. Reclamaram para a monja que a criança impedia a concentração e que assim não conseguiriam meditar. Opinaram que seria melhor ele não vir mais. Quando terminaram de fazer a reclamação, perceberam que o bebê havia simplesmente dormido, imerso em um sono profundo. A monja contou que não precisou dizer mais nada e expressou que a criança estava ali para trazer luz a todos.

Achei tão linda e terna esta história! Também pensei duas coisas a respeito: primeiro, que o bebê dormiu porque entendeu, por telepatia, tudo o que se passava. Segundo, deduzi que a possível agitação inicial estivesse sendo uma captação da agitação das mentes das pessoas, que ele simplesmente ecoava em suas atitudes. Quando elas tomaram consciência de que não estavam conseguindo "esvaziar suas xícaras", como dizem os orientais, o bebê, então, havia conseguido contribuir para trazer luz, seu verdadeiro papel, sua missão naquele lugar.

Uma criança muito especial

Lembro-me perfeitamente de uma situação em um restaurante onde almoçávamos, eu e meu marido. Nossos vizinhos de mesa eram um casal e sua filha, que tinha, aparentemente, de 2 a 3 anos. A primeira coisa que me chamou a atenção foi que a menina, além de linda, tinha um olhar sério, profundo, de adulto, sua personalidade era forte e era muito decidida. Não permitia que seus pais lhe dessem alimentos que não os escolhidos por ela. Sabia muito bem o que queria comer. A menina não deixava que lhe dessem a comida na boca. Ela comia sozinha e o fazia com perfeição. Estava a observar atraída por um jeito e uma energia cativantes que aquela criança emanava. Depois, conversando com sua mãe, descobri que a garotinha não havia completado 2 anos (tinha 1 ano e 8 meses!).

A mãe contou que estava impressionada com as atitudes e reações da filha. Era sua primeira experiência como mãe e a maturidade e sabedoria da criança geravam muita apreensão na família. Ela escolhia as roupas e os sapatos que queria comprar e vestir, e recusava a usar roupas que a mãe sugerisse, por exemplo. Quando iam às lojas para fazer compras de sapatos para a mãe, a menina dizia: "Este ficou bonito, mamãe, compra, compra!". Quando não gostava, dizia: "Esse não, esse não, tira, mamãe!". Mais incrível, revelou a mulher, é que a criança acertava nas escolhas. "Todas coincidiam com meu gosto e necessidade de conforto!", comentou.

Um dia, quando iam pegar o carro que estava estacionado na rua, a mãe, atrapalhada com sua bolsa e mais alguns pertences, além da filha, não conseguia acionar o destravamento elétrico das portas. Foi então que a menina disse: "Eu ajudo, mamãe!". A criança pegou rapidamente o controle das mãos da mãe, acionando-o corretamente e mostrando o botão correto. A mãe lembrou que a menina nunca havia sido orientada sobre como fazê-lo. "Tinha apenas 1 ano e 8 meses!", desconcertou-se. Conversei um pouco mais com essa mãe e lhe dei informações sobre as Crianças Índigo. Ela ficou muito impressionada e interessada. Tempos depois, lhe passei o endereço de alguns *sites* para que fizesse suas próprias pesquisas.

A missão de Nicolas

Encontrei-me com Nicolas, certo dia, durante o inverno, quando fui experimentar uma roupa na casa de sua avó, cuja irmã era costureira. O menino chamou logo minha atenção, pois passou por mim acompanhado da avó e parecia um homem adulto em miniatura. Tinha expressão séria e parecia decidido. Os dois se dirigiram a uma peça do fundo da casa, dessas onde se guarda de tudo um pouco, tipo depósito. De longe, pude ouvir sua vozinha pedindo insistentemente para a avó que o deixasse ver os cupins. Ele dizia: "Por favor, vovó, por favor, eu só preciso ver eles, deixa só eu ver!".

Escutei aquilo e fiquei "ligada", pois senti que ele era especial ou diferente. Quando mais tarde me dirigi ao portão, na frente da casa, para sair, encontrei sua avó, que me confidenciou: "Faço tudo por esse neto! Ele é demais! É o único neto!". Depois, contou-me que o menino é fascinado por animais, mais especificamente por insetos, e que conversa com eles e os protege a não mais poder. Aquela senhora falava e parava um pouco, olhando-me como se quisesse captar minha reação ante a revelação. Como mostrei muito interesse e compreensão, sem indicar censura, incredulidade ou julgamento, a avó prosseguiu.

Falou que Nicolas tinha 4 anos e impressionava seus pais, avós e familiares, pois era extremamente sério, maduro, firme em suas convicções e tinha reações que, às vezes, os deixavam preocupados até sobre sua sanidade! Como em uma ocasião em que chegaram à casa da praia que recém havia passado por um processo de dedetização. Ao ver despencarem do teto milhares de cupins mortos, Nicolas se pôs a chorar e a gritar. O garoto parecia, na verdade, urrar de dor, como se o estivessem matando. Toda a vizinhança ouviu e se assustou. Os pais ficaram completamente aterrorizados e não sabiam o que fazer para acalmá-lo. Depois de muito conversarem, Nicolas se acalmou ante a promessa de que os pais nunca mais fariam isso.

Segundo a avó, o menino guarda em casa caixas e caixas com insetos vivos. São coleções de cupins, borboletas, baratas, tudo lhe agrada. Ele protege e conversa muito com os bichos. Nicolas tem coleções de livros sobre esses animais e conhece muito sobre o assunto. Gosta de ir às livrarias onde sabe as publicações que deseja e, depois de pedi-las, senta-se e é capaz de ficar horas lendo, se o deixarem. Ele disse à sua avó que quando crescer quer ser cientista e precisa estudar muito. Sua avó contou-me também que ele é muito responsável e orientado para a boa conduta, para valores saudáveis e tem uma ótima noção do que é certo ou errado fazer. Acaba exercendo uma liderança natural sobre seus coleguinhas, amigos e primos, que terminam se espelhando nele e até colaborando com suas "pesquisas". Guardam insetos para ele, trazem informações e recortes sobre o tema e o respeitam muito por sua atitude, digamos, tão madura e sábia. Ele não impõe nada a ninguém, mas acaba sendo admirado e seguido por todos. "É impressionante", rende-se a avó.

Enquanto conversávamos, Nicolas apareceu. Virei-me para ele e disse: "Oi, Nicolas, então é tu que gostas de cuidar e de conversar com os animais, com os insetos?". O menino me olhou bem sério, como que me analisando, e fez que sim com a cabeça. Então, abaixei-me para ficar na sua altura e ele se aproximou. Olhei bem nos seus olhos e fui correspondida com um olhar tão profundo e sério, que jamais esquecerei. Depois de alguns segundos de diálogo silencioso, perguntei: "Nicolas, é só tu que conversas com os animais ou eles também conversam contigo?". Ao que ele respondeu objetivamente e mantendo a expressão séria: "Eles também conversam!".

Continuei olhando bem dentro dos seus olhos sábios, com um sentimento de admiração aliado a uma profunda compreensão e a um carinho muito grande. Falei então: "Sabes, Nicolas, tu tens uma missão muito importante, que é cuidar desses animais para nós! Tu sabes disso, não é mesmo?". Ele mexeu a cabeça em sinal positivo. "Então, faz isso, querido, cuida bem deles para nós, está bem? Agora tenho que ir embora, tu me dás um beijo de despedida?" Ele me olhou e depois me deu um beijo carinhoso na bochecha, que correspondi. Fiquei muito, muito emocionada e senti que era um encontro único, que sua compreensão e significado estavam muito além das palavras e da razão. Ele foi indo para trás e ficou me olhando, sempre muito sério. Sua avó ficou impactada e, ao se despedir, disse que ele nunca beijava ninguém, a não ser seus pais e ela, a avó. Comentei brevemente sobre os Índigo, repassei algumas orientações sobre como buscar informações e lhe assegurei que a criança não tinha nada de anormal, como eventual desequilíbrio ou distúrbio mental. Afirmei que Nicolas é, isso sim, um menino diferente, com dons especiais e que merece muito amor e, principalmente, respeito. Ela pareceu aliviada.

Encontrar crianças, estar com elas, é sempre uma experiência repleta de magia. Elas mexem com minhas emoções, me fazem esquecer de tudo, trazendo graça, vibração e alegria, em qualquer circunstância. Se uma criança não passa isso, instantaneamente e ao primeiro contato, e se seus olhos não têm um brilho faiscante típico, devemos suspeitar de que essa criança esteja sofrendo, inserida em um ambiente familiar e social perturbado e desfavorável ao seu desenvolvimento.

Carol: uma curadora muito especial

Carol me foi apresentada por uma amiga comum, Laura, via internet, que ficou muito feliz ao saber que eu estava escrevendo um livro sobre os Índigo. Ela me escreveu para demonstrar isso e achei mais autêntico e bonito reproduzir sua carta exatamente como me foi enviada, com sua energia, sua marca especial e única.

Olá, Ingrid

Falamos eu e Laura sobre o assunto e como já trabalho faz anos com energia. Também sou Índigo, uma das primeiras gerações (1964) e fui buscar entendimento. Hoje tenho em atendimento três bebês energéticos Cristal. Índigo? Perdi a conta. São seres especiais, grandes paraquedistas de Deus e importantes na Terra, ajudam e fazem cirurgias só com os olhos. Impressionante, mudam estados energéticos em segundos e modificam partículas negativas dentro de uma mente de forma visível e notável, fico impressionada. São jovens muito especiais. Tenho encontrado muitas pessoas pela estrada de luz, muitos iluminados e grandes guerreiros da luz. Isso ajuda a desenvolver o plano terreno.

Viviane Índigo

Suas virtudes: rapidez nas respostas e pensamentos ligados à energia e mente, leva tudo na esportiva, tem facilidade em perdoar em segundos, ira e raiva são raridade, está sempre sorrindo, tem muita felicidade em poucas expressões, necessita ajudar o próximo sem querer retorno e viaja muito com grande percepção de almas extraterrenas ajudando. Necessita ler pouco e sabe muito, recebe muita orientação num pequeno espaço de tempo, e deseja meditar, mas medita pouco, pois acha perda de tempo. Gosta de rezar, fazer, trabalhar e mostrar serviço. Come pouco e muito doce para suprir o desgaste de energia. Dorme pouco e trabalha na hora de deitar, ou seja, energeticamente não dorme. Gosta de desafios, não aceita um "não" como resposta e tem facilidade de leitura de vidas passadas e corporal. Abre e fecha portais (canais de comunicação, de acesso instantâneo a outras dimensões) com facilidade e busca suas sensibilidades para evoluir diariamente. Outras qualidades: vidência auditiva, tato, degustação, olfato e clarividência. Bom, resumi um pouco sobre quem é Viviane. Quero dizer que todos que Deus me manda para ajudar são isso e mais um pouco. Existe o décimo terceiro povo de Moisés, que se perdeu na poeira quando ele veio a falecer depois de 40 anos no deserto. Estudos apontam que esse povo está na América Latina, com grande foco no Rio Grande do Sul, onde encontramos muitas crianças Índigo. Com isso, decidi há três anos pegar minha filha e vir embora para a serra gaúcha, para ajudar a localizar esses seres humanos especiais. Não nego a ti que esta é uma de minhas missões: encontrar o décimo terceiro povo de Moisés e, mais que encontrá-lo, ajudá-lo a evoluir.

TIAGO, UM ÍNDIGO QUE VIVE NAS RUAS

Conheci Tiago quando comecei a trabalhar em uma empresa. Ele tinha 8 anos, era magrinho, franzino, de grandes olhos brilhantes e um sorriso inesquecivelmente largo e lindo. Tiago cuidava dos carros que estacionavam na rua. Descobri mais tarde que ele e seu irmão, com 12 anos, dividiam-se na atividade de observar os veículos e o patrimônio da empresa. Descobri também que eles eram muito estimados por todos e que eram considerados como parte da companhia. Aos poucos, compreendi o porquê de os dois serem tão queridos por todos.

Tinha um contato muito maior com Tiago, pois ele cuidava da quadra onde eu estacionava e por onde entrava para trabalhar. O garoto logo me cativou. Perguntou se eu era nova na empresa e prontamente deu dicas sobre cuidados que eu devia adotar ao deixar meu carro ali. E me tranquilizou: enquanto estivesse ali, nada aconteceria. Ele cuidava e avisava os guardas ante qualquer ameaça ou aparição de suspeitos. Passei a me interessar por ele. Cada vez que eu chegava ou saía, conversávamos mais um pouco. Ele era um dos filhos mais velhos (!) de uma família de dez irmãos que morava em uma região próxima ao Guaíba. Logo entendi que as condições de vida da família eram precárias. Tiago estudava e no resto do tempo ficava na rua, trabalhando.

Sempre lhe perguntava pela escola, pelas notas e se gostava de estudar, do que mais gostava. Ele me impressionava, em especial pela alegria, uma constante nele. Nos dois anos em que trabalhei naquele lugar, nunca o vi triste e sem aquele lindo sorriso que mostrava não só seus enormes dentes, mas toda sua alma cristalina. Um dia cheguei e ele veio correndo da esquina gritando: “Ingrid, Ingrid!”. Esperei para lhe dar um “oi”, pois ele já era um amigo querido para mim. Sentia-me bem encontrando-o logo no início do dia. Perguntei como estava e quais eram as novidades. Tiago me contou que estava tudo bem no colégio e que ia fazer aniversário na semana seguinte. Sondei então o que ele gostaria de ganhar de presente. Ele se mostrou envergonhado e disse que não precisava de nada. Disse que, como amiga, desejava lhe dar um presente e que fazia questão de que ele indicasse algo de que gostava. Tiago então disse e me surpreendeu mais uma vez: “Gostaria muito de ganhar um pacote de arroz e um de feijão para minha mãe cozinhar”.

Quase morri de tanta emoção, ou melhor, de comoção! Não tive como controlar as lágrimas, apenas disfarcei. Então lhe respondi que sim, daria o que me pedia, mas, como isso era para ele e sua família, queria que ele escolhesse algo só para ele, um brinquedo ou algo que quisesse muito. Ele então me disse que havia visto um carrinho, do tipo que tinha fricção e corria bastante, nos camelôs que ficavam ali perto e que gostaria muito de ter um daqueles. Disse que ele ganharia o presente pedido. De fato, no dia do aniversário, levei dois pacotes de arroz, dois de feijão, bolachas e um bonito carro embrulhado para presente. Além disso, escrevi um lindo cartão, expressando o quanto ele era especial e lhe dando muito incentivo para continuar sendo a pessoa maravilhosa que era. Sugeri que fizesse a parte dele bem feita, com amor e honestidade, que Deus sempre estaria com ele, e que eu rezaria e torceria pelo seu sucesso!

Dava gosto de ver nos olhos daquele ser brilhante toda a sua felicidade! Senti-me recompensada e agradecida a Deus por aqueles momentos. Certo dia, Tiago, conversando comigo, contou que tinha colocado o cartão que lhe havia dado na parede, acima de sua cama, para poder ler todos os dias. Ele me disse também que tinha uma pomba de estimação, pois onde morava tinha muitas, mas aquela era especial. Então ele me perguntou: "Adivinha qual é o nome da minha pomba?". Respondi que nem imaginava. Com aquele sorriso que é sua marca, capaz de derreter completamente um coração, anunciou: "É Ingrid!". Dá para imaginar como me senti? Jamais esquecerei o Tiago, um ser de luz que cativou meu coração e a quem desejo todo o bem deste mundo. Um Índigo, sem dúvida, que se apresentou em meu caminho quando eu ainda não havia lido nada sobre o assunto.

Fabrício e João: energia pura

Encontrei Fabrício e seu amigo João, ou melhor, eles me encontraram, quando eu estava sentada no gramado de um hotel, na serra gaúcha, acompanhada de meu marido, meus livros e do nosso passarinho. Tratava-se de dois meninos estridentes e barulhentos, cheios do brilho sobre o qual já falei. Aproximaram-se e foram logo perguntando o nome do passarinho e se podiam ficar ali um pouco. Enquanto falavam, "mexiam" com o bichinho e o agitavam. Perguntei para um deles como se chamava e ele respondeu imediatamente, soletrando com rapidez, deixando claro pelo tom e velocidade que estava me testando: "F-a-b-r-í-c-i-o". Entendi e disse: "É Fabrício o teu nome!". Ele confirmou. Tudo que eu perguntava, ele respondia assim, soletrando em alta velocidade. Fiquei impressionada, nos poucos minutos em que ficaram conosco, com a inteligência dele e do amigo, a energia pululante, mas, principalmente, com a habilidade; afinal, Fabrício tinha apenas 6 anos.

A emocionante história de Marcelo

Desejo compartilhar uma história muito especial, pela qual tenho enorme carinho. É a história de Marcelo, que chegou até mim de modo inusitado e com muita emoção, por intermédio de seu pai. Fiz há alguns anos uma palestra sobre Consciência e Qualidade de Vida para empresários e executivos. Ao final, como costuma sempre acontecer, alguns participantes vieram se despedir, comentar a palestra, enfim. O pai de Marcelo ficou por último, conversando sobre como o tema e a palestra em si o haviam tocado e causado impacto. Falamos sobre consciência e missão de vida, um dos fundamentos da palestra, e, de repente, ele ficou com os olhos cheios de lágrimas e disse que tinha um filho, o menor, que era muito, muito especial e que o estava ajudando a compreender sua própria missão nesta vida.

Surpreendi-me com sua fala e com toda a emoção revelada, e perguntei como ele sabia que seu filho era tão especial. O homem à minha frente estava com os olhos marejados e quase não conseguiu responder, apenas apontou para o alto, para o céu, e disse: "Recebi um sinal!". Esperei alguns segundos até que se recobrasse e comecei a descrever as Crianças Índigo e Cristal. Ele ficou fascinado e extremamente interessado. Combinamos que eu lhe enviaria alguns textos e indicação de *sites* para pesquisas. Dias depois, enviei o material prometido, por *e-mail*, e a partir daí fizemos alguns contatos por telefone para falar sobre Marcelo e sobre sua experiência de vida como pai dele. Reproduzo, a seguir, trechos de seu emocionado depoimento sobre a experiência de ser pai de uma Criança Índigo.

Professora Ingrid,

Como eu poderia esquecer seu nome? Uma pessoa que, com seu brilho e luminosidade, conseguiu fazer-me clarear novos horizontes pessoais e profissionais. Quantas novas lições aprendidas. Pode ter a certeza de que sua palestra, nossas conversas e contatos posteriores aumentaram, em muito, minha luz interior. Estou muito bem e meu filho Marcelo está cada vez mais lindo. Todos os dias ele mostra por que veio para mim, por que ele é especial e por que fui escolhido para recebê-lo. Não consigo, em palavras, traduzir o que ele representa para mim. Só sei que minha vida está dividida em dois macromomentos: antes do Marcelo e depois dele. Eu sempre senti que ele era uma pessoa especial. A chegada do Marcelo e as grandes descobertas sobre ele, nas quais você muito ajudou, comprovaram que minha missão, neste planeta, é muito especial.

Após ter encontrado o Marcelo naquele material sobre as Crianças Cristal, tenho buscado me aprofundar em conceitos da doutrina espírita como forma de aprender um pouco mais sobre a espiritualidade em geral. Além disso, tenho aproveitado todo o material sobre Índigo e Cristal para compartilhar com diversas pessoas da minha relação que são atraídas pelo Marcelo. É fantástica, muito impressionante mesmo, a forma como Marcelo atrai as pessoas para ele. São, todas elas, pessoas muito especiais, com certeza!

Falarei um pouco mais sobre o Marcelo e sua história. Sua gestação foi normal, embora tenha ocorrido num momento de uma profunda crise no casamento e, por isso, a notícia não foi comemorada. Por ocasião do parto, verificaram-se algumas malformações: problemas cardiológicos importantes, agenesia do corpo caloso e algumas malformações na coluna cervical. Marcelo teve que ficar na UTI por mais de 20 dias e seu prognóstico piorava a cada dia, tendo sofrido várias complicações e perdido muito peso. Todo esse tempo, ele esteve afastado dos pais, recebendo visitas diárias de apenas uma hora, em que era visto através de uma pequena janela. O pediatra já havia nos abandonado, e Marcelo chorava o tempo inteiro. Mas sua estrela não queria se apagar.

A essa altura surgiu uma cardiologista pediátrica que se assustou com o estado dele e providenciou sua transferência para outro hospital, em um centro maior. Nossa chegada àquele hospital foi algo marcante e inesquecível. Vimos uma estrutura e uma equipe de profissionais esperando a chegada do nosso filho. Quase não acreditamos. Quanta diferença!! Após 24 horas de investigações, constatou-se que o estado do Marcelo era terminal, com desnutrição profunda. Depois de 53 dias de hospitalização, exames e revisões, veio o diagnóstico: Marcelo havia nascido com algumas malformações, não graves, mas a desnutrição profunda pela falta de alimentação deixou sequelas neurológicas importantes. Desde então, tendo ele sobrevivido, vem sendo acompanhado por uma equipe de profissionais (pediatra, neurologista e cardiologista) com um desenvolvimento favorável, pautado por progressos lentos, mas muito significativos. Marcelo está hoje com 8 anos e tem um irmão de 13 anos. Os dois têm um relacionamento que emociona.

A descoberta de Marcelo

Apesar de termos superado essa primeira cruzada, tínhamos, agora, uma criança com diversas "deficiências". Não era fácil para pai e mãe a aceitação diária desse "problema". A união do casal piorou bastante. Tínhamos um filho deficiente e era difícil aceitar, mesmo sendo o Marcelo uma criança tranquila, feliz, ele tinha uma saúde muito frágil. A cada gripe, logo apresentava febre muito alta, seguida de convulsões. Certo dia, estávamos na casa de uma tia, na praia, brincando com o Marcelo no chão, quando entrou uma senhora dizendo: "O Marcelo está aí? Quero conhecê-lo". A mulher entrou na sala, olhou para o menino e ficou simplesmente encantada. Após brincar com ele demoradamente, virou-se para nós e disse: "Vocês tratem de cuidar bem desta criança. O Marcelo é um presente especial que Deus só manda para pessoas especiais. Vocês foram escolhidos para receber este presente".

Até hoje fico arrepiado e com lágrimas nos olhos quando lembro esse momento. Daquele dia em diante, realmente, para mim tudo mudou. Estávamos em 1999, meu filho tinha 3 anos, e descobrir "o Marcelo" trouxe-me uma nova vida. Procurávamos uma pessoa para morar conosco e se dedicar aos cuidados diários com ele. Ligou-nos uma senhora de uma pequena cidade do interior, muito interessada no trabalho. Fomos conhecê-la e, quando ela e Marcelo se encontraram, foi uma paixão imediata. Ela está há quase cinco anos conosco e tornou-se uma verdadeira mãe de Marcelo. Já faz parte da família.

Marcelo caminha somente com o auxílio de andador ou com o apoio de outra pessoa. Sua comunicação através da fala é muito limitada. Faz acompanhamento com fisioterapeuta e fonoaudióloga, mas são poucos os progressos até aqui. Ele ouve, entende e enxerga bem. Comunica-se com poucas palavras, mas faz-se entender com gestos, sons e olhares. Está sempre transmitindo alegria e paz. Não chora, não briga, mas exige muita atenção. Marcelo não come nada sólido até hoje, recusando-se a mastigar. Esse tem sido um grande desafio. Embora a fonoaudióloga diga que ele tem todas as condições de mastigar e também de falar, parece que ele ainda não quer.

Meu filho adora música. Seu brinquedo favorito é um rádio/gravador/cd portátil. Escolhe e demonstra claramente suas canções preferidas e poderia passar o dia todo brincando com o aparelho.

Chama a atenção das pessoas a forma como brinca com o equipamento eletrônico. Surpreende que, apesar de dizer pouquíssimas palavras, duas se destacam especialmente: luz e escuro. O acender e apagar de lâmpadas ou um ambiente escuro sempre chamam muito sua atenção e fazem Marcelo dizer: "Luz e/ou escuro". Sobre esse assunto, há outra situação estranha. O Marcelo não tem medo de escuro, mas, à noite, quando falta luz, ele começa a choramingar e não se acalma enquanto a luz não volta.

Bem, independentemente de toda a história anterior, somente a descoberta e o convívio com Marcelo podem traduzir um pouco de sua missão neste planeta. A forma como ele atrai pessoas, todas elas especiais, e a paz e o amor que os olhos dele transmitem não tem como escrever ou traduzir.

Pablo e Juan: dois irmãos Índigo

Durante o café da manhã em um hotel, conheci uma família muito especial de uruguaios. A vivacidade e a energia dos dois filhos me chamaram logo a atenção. O mais jovem, Pablo, estava muito interessado em pegar uma enorme mariposa que passeava no chão da sala do café, e insistia com a mãe para que o ajudasse a pegá-la. Não demonstrava medo ou cuidado diante daquele enorme inseto negro. Agitou-se tanto com sua caçada, que seu pai teve de chamá-lo para sentar-se à mesa. Depois que recebeu limites claros e firmes do pai para sentar-se, não demonstrou raiva ou chateação, ao contrário, pareceu centrar-se. Em poucos segundos, mostrou-se um menino doce, vivo e esperto, reagindo assim: "Papa, vamos comer algo muy rico?". Seu pai não pôde deixar de rir e encantar-se com a reação do filho, que era capaz de amolecer qualquer coração e de espantar qualquer resquício de seriedade.

Observava da mesa em frente e não pude conter o riso, era uma cena que misturava graça, alegria, vivacidade e ternura.

Pablo era um menino com um corpo miúdo, delgado, leve como um passarinho, olhos grandes e penetrantes, demonstrava grande sensibilidade, inteligência, falava corretamente seu idioma e com ótima fluência para quem tinha 3 anos de idade. Até onde pude observar, era tenaz e muito obstinado quando se tratava de conseguir algo, como levar sua mãe a entrar na piscina e nadar com ele.

O irmão de Pablo, Juan, tinha 5 anos, no entanto, seu tipo físico forte e de tamanho avantajado sugeria que tivesse uns 8 anos pelo menos. Era mais sério, observador e menos falante do que o pequeno Pablo. Enquanto pude observá-lo, percebi que era muito maduro para sua idade, com noção clara de limites, extremamente inteligente e com um vocabulário muito rico para uma criança de 5 anos. Enquanto seus pais terminavam o café, Juan estava brincando na piscina com o irmão, pois esta ficava bem próximo. De vez em quando, os dois vinham até a porta para contar alguma proeza feita na água. Sempre que isso acontecia, a mãe recomendava que não entrassem para não molhar a sala.

Em dado momento, Juan se aproximou correndo e muito alegre, chamando pelos pais, e, antes que a mãe terminasse de se virar para ele, provavelmente para fazer nova recomendação, rapidamente se posicionou firmemente, juntando os pés naquilo que parecia a linha limite entre a rua e a sala, e com uma expressão séria e adulta anunciou: “Não se preocupe mamãe, não vou entrar na sala molhado. Eu já sei”. A mãe simplesmente olhou-o como quem diz: “Está bem, desculpe-me por pensar que não havias entendido”. E ficou calada, muda mesmo. Eu observava e, mais uma vez, não pude me furtar de virar para o lado e rir, pois era surpreendente e, ao mesmo tempo, engraçado.

No dia seguinte, quando estava na recepção do hotel, aguardando para me despedir deles – esta família tão querida da qual tornei-me amiga virtual –, a camareira/recepcionista contou-me uma breve passagem ocorrida com Juan e que muito me impressionou. A mulher contou que na tarde anterior estava arrumando e limpando o jardim e a piscina, depois que todos os hóspedes haviam se retirado, e procurava uma cadeira branca que estava faltando. Não estava conseguindo encontrar. Eis que, de repente, surge Juan, que vai até a piscina, mergulha e busca a cadeira que estava no fundo, em um canto dentro da água. Quando o garoto lhe entregou a cadeira, perguntou: "Era isso que você estava procurando, não era?". A camareira disse-me que ficou pasma, pois ele surgiu do nada, não falou com ela e simplesmente agiu como se tivesse uma "bola de cristal" ou algo assim. Ao ouvir esse episódio, mais uma vez tive a certeza de que os dois irmãos eram Índigo, ou Índigo-Cristal.

Lembrei que a mãe dos dois havia comentado sobre o quanto percebia que seus filhos – não por serem "seus filhos" – tinham uma vivacidade, uma energia, uma inteligência e reações extremamente maduras e surpreendentes para crianças na idade deles. Ela contou que, por conta disso, levou-os a uma psicóloga bem qualificada para fazer uma avaliação e ver, depois de um parecer profissional, como poderia agir para melhor ajudá-los em seu desenvolvimento. A mãe de Pablo e Juan estava consciente de sua tremenda responsabilidade e praticamente certa de que os filhos eram crianças "diferentes". Os resultados da avaliação indicaram um nível de inteligência e de maturidade bem acima do esperado para a idade, e as orientações foram feitas. Entre as recomendações, estava a de que deveriam inseri-los em um convívio mais próximo da natureza, num lugar onde tivessem uma melhor qualidade de vida.

A família, então, tomou várias providências, entre as quais duas muito significativas: a mãe parou de trabalhar para dar atenção e voltar sua energia para os filhos, e o pai pediu transferência em sua empresa para poder trabalhar em uma cidade do interior, onde, segundo pesquisaram, havia uma ótima energia e excelente qualidade de vida. Conforme disse no início, trata-se de uma família muito especial e extremamente consciente de seu papel, missão e responsabilidade.

Transcrevo abaixo um breve trecho de uma mensagem que a mãe uruguaia me enviou após receber e ler alguns textos e informações sobre os Índigo:

Querida Ingrid,

Me interesó mucho todo el material que me enviaste de los Niños Índigo y se lo pasé a las maestras de mis hijos para que conocieran las características de esos niños. Incluso le conté en mi familia y mi suegra quedó tan interesada que para fin de ano nos regaló un libro de ese tema que se llama "Los Niños Índigo", de Lee Carroll e Jan Tober, de una editorial española. Recién lo estamos leyendo con mi esposo y en él hemos descubierto muchas cosas que nos ayudan a entender actitudes y conductas tan especiales y maduras de nuestros hijos, sobretodo en Juan, el mayor, que cada dia parece mas un hombrecito en miniatura por la forma de comportarse y comunicarse.

Bueno, un abrazo grande a tu esposo y esperamos que este nuevo año los encuentre unidos y felices como los conocimos en aquel hotel. Un abrazo fuerte de Carlos y cariños de Juan y Pablo, nos mantenemos en contacto.

Maria José

Luíza e seu dom da cura

Mais uma vez, a sincronicidade levou-me ao encontro da história de Luíza, uma menina de 3 anos que nasceu com o dom da cura por meio das mãos. Conheci sua mãe após um contato feito por ela para que eu fizesse uma palestra sobre qualidade de vida na empresa em que trabalhava. Depois de algumas conversas e a realização da palestra com grande sucesso, Sandra, a mãe de Luíza, contou-me sobre um sonho, seu e de seu marido: ter um filho. Tentaram muito, sem sucesso, até que resolveram adotar uma criança, a quem chamaram Luíza, fonte de extrema felicidade para o casal. Aos 3 anos, a garotinha se revelou mais do que uma mensageira de alegria e uma grande companheira para os dois.

Sandra revelou que Luíza consegue curá-la de dores e crises, causadas por um problema de saúde congênito, colocando somente suas mãozinhas sobre o corpo da mãe por alguns minutos. A mãe afirma que ninguém ensinou esse procedimento à criança. A primeira vez que observou o dom em sua filha foi quando teve uma crise de dor e mal-estar, e precisou repousar. Pediu à filha que tivesse paciência e deixasse a mamãe descansar para melhorar. Luíza, então, posicionou-se próximo ao corpo da mãe e, repousando suas mãos sobre ela, disse com calma e segurança impressionantes: "Mamãe, fica tranquila, pois tu já vais ficar boa!".

Sandra diz ter se impressionado e mais ainda porque ficou boa mesmo, sem dores e bem disposta. Desde então, sempre que tem as crises ou fica doente, por qualquer razão ou causa, a menina reage da mesma forma e adota os mesmos procedimentos, com resultado positivo, de cura.

Sandra me contou que recentemente teve de ir ao médico fazer alguns exames, devido a mais um problema de saúde, e Luíza a acompanhou, segurando sua mão o tempo todo, como se fosse o adulto a conduzir a mãe ao médico. Durante toda a consulta e procedimentos médicos, a garotinha não soltou a mão da mãe, olhava com sinceridade para todos os aparelhos, observava em detalhes e dizia: "Mamãe, não te preocupa, tu já vais ficar boa. Eu estou aqui!". Minha amiga ficou encantada com a sabedoria e a maturidade da filha diante dessa e de tantas outras situações. Sandra confessou ter certeza de que Luíza foi um presente de Deus e que veio para transformar e dar sentido à sua vida.

Diego e seus amigos invisíveis

Fui apresentada à mãe de Diego, Marina, por uma amiga em comum, que sabia de meus estudos e interesse pelos Índigo. Minha amiga estava preocupada com o fato de que Marina andava, digamos, assustada com o que vinha acontecendo com seu filho, de apenas 4 anos. Diego tinha dois amigos "imaginários" com quem conversava frequentemente. Os "amigos" tinham até nomes. O menino, descreveu a mãe, ficava muito tenso e, às vezes, nervoso quando a dupla imaginária aparecia. Marina conta que procurou descobrir junto ao filho quem eram os "amigos" e o que queriam. Notou que sempre que eles apareciam, alguma coisa de ruim estava por acontecer, o que angustiava o filho, que tentava avisá-la de algo.

Certa vez viajavam de carro, Marina na direção e Diego no banco de trás, e, de repente, o filho se mostrou ansioso e agitado. A mãe lhe perguntou se eram os tais amigos. A criança disse que sim e que estavam dizendo que ia acontecer algo grave, que era para terem cuidado, muito cuidado. A mãe sentiu o nervosismo do filho e inquietou-se. Diego estava cada vez mais aflito e insistia em que ela tivesse cuidado! De repente, um carro fez uma manobra brusca na estrada e ficou atravessado na pista, Marina mal teve tempo de frear e desviar, escapando por milagre de um grave acidente.

Enquanto escrevia este livro, enviei informações sobre Índigo e Cristal para Marina, respondendo a uma solicitação sua. Quando voltamos a conversar, disse-me que acreditava que seu filho é uma Criança Cristal. Relatou-me que Diego descrevia ver um mestre envolto em luz, que era seu guia. O garoto conversava com o guia, que lhe aparecia frequentemente e lhe fazia bem. Depois que passou a ir para a escola, não havia mais visto o "mestre", e faz acompanhamento com uma psicóloga e uma pedagoga.

Marina conta que Diego causa um impacto impressionante nas pessoas. Sua simples presença parece perturbá-las e perguntam: "Por que seu filho olha tão fundo assim?". Diego também se mostra muito incomodado quando percebe alguma mentira. Ele se perturba com a falsidade das pessoas que estão ao seu redor. Sente-se incomodado e as pessoas também. Segundo Marina, o filho está se dando conta e procurando se "comportar" de forma mais "educada". Na verdade, ele está tentando disfarçar uma característica muito natural sua. Mas uma coisa é certa: seu olhar perturba.

Veja respostas de Diego a algumas perguntas:

Quem é você?

Diego: Sou um menino feliz e curioso. Gosto de estar com as pessoas, com meus amigos e com os arcanjos. Já ouvi um anjo dizer: "Diego", pensei que fosse meu pai, mas não era.

O que acha da vida?

Diego: Temos que aproveitar porque a gente existe.

O que você pretende ser/fazer no futuro?

Diego: Ajudar as pessoas e ser guitarrista. Dar coisas, ajudar as crianças que não têm casa.

Karina, uma Índigo muito especial

Conheci Karina, primeiramente, por meio da internet. Uma amiga, sabendo sobre meu interesse pelos Índigo, enviou-me cópia de uma mensagem que havia recebido de Karina e sugeriu que eu fizesse contato. Reproduzo a seguir trechos dessa mensagem:

Olá,

Descobri há alguns meses que sou Índigo. Fiquei sabendo que todos os meus dons e potenciais não são uma doença e estou muito feliz por isso! Como são bastante significativos, sentia-me como um inseto cujas antenas, maiores que o próprio corpo, impediam-no de mover-se com destreza. Quanto mais aceito meus dons e vivo minha presença divina, mais me sinto diferente das outras pessoas que habitam a Terra. Consegui criar um mundo à parte na chácara onde vivo. A própria frequência vibratória do lugar é bem alta e fluida, o que me dá condições de viver sem grandes sobressaltos.

Hoje trabalho como alquimista, pois desenvolvi remédios que tratam diversas patologias, como o câncer, a hepatite C, a TPM (Tensão Pré-Menstrual), disfunções da menopausa e, especialmente, a disfunção de atenção dos Índigo. Descobri um remédio que desperta nosso mestre interior e faz a cura acontecer. Sou formada em Direito, mas faz dois anos que deixei de advogar, após 10 anos atuando na área. Tenho visões, premonições, intuições, comunico-me telepaticamente com as pessoas que necessito. Tenho 36 anos e uma filha de 13 anos que é Índigo/ Cristal, provavelmente.

Tenho trabalhado atendendo animais e também crianças Índigo e Cristal. Os resultados estão sendo muito bons. Acredito que esta seja minha missão. Só eu sei o que sofri durante toda a minha vida por não ter recebido esclarecimentos sobre o que necessitava.

Um grande abraço,

Karina

Karina: sobre ser Índigo e mãe de um Índigo

É a melhor coisa do mundo! Porque enfim eu tenho uma pessoa que me entende. A vida flui perfeitamente, é como se não existissem obstáculos. A língua, a linguagem é a mesma, o olhar é o mesmo. Comunicação telepática passa a ser algo comum. Quando uma tem dor de cabeça, a outra vem e emana luz e a dor vai embora. Quando a gente tem um desejo/pedido, juntamo-nos, potencializando a energia e favorecendo a concretização na matéria daquilo que foi plasmado. O desejo de justiça é o mesmo, assim como o respeito pela história de cada um, de todos os seres. Tenho o dom de sentir que alguém quer falar comigo. Minha filha vê a energia chegando, em cores, e as descreve.

Se eu tenho acesso aos elementais, ela também tem acesso e nos comunicamos e nos entendemos sobre isso. Por exemplo, outro dia, estávamos indo para o supermercado, e minha filha chegou e disse enquanto andávamos de carro: "Ah, que gostoso entrar em contato com a nossa Divina Presença! Estava preocupada com meu desejo de comer chocolate, que tanto gosto, e com a possibilidade de engordar. Então entrei em contato com a Divina Presença e pedi orientação. Aí tive um sonho em que eu pegava, na prateleira do supermercado, uma barra enorme do doce, uma caixa de Bis e uma de bombons. Fiz isso, escondida da minha mãe, mas de repente pensei: 'Por que faria isso?' Voltei atrás, devolvi os chocolates na prateleira e me senti totalmente tranquila com minha decisão!".

Karina conta que sua filha lhe disse, um dia desses em que foram a um hipermercado: "Ah, mãe, agora já sei aonde eu virei quando ganhar dinheiro para comprar as coisas para as minhas crianças pobres!". Sua filha, Júlia, é assim, maravilhosa! Faz poesias, tem uma voz divina e está começando a fazer aulas de canto para aprimorar o dom que recebeu. Ela tem uma voz bonita e suave ao telefone e parece uma mulher adulta e muito séria quando fala com a gente. Na primeira vez em que liguei e ela atendeu, pensei que fosse sua mãe.

Conforme Karina, que é, além de Índigo/Cristal, também terapeuta de Crianças Índigo e Cristal, o mais difícil de ser Índigo é quando não se tem ainda consciência de que se é uma pessoa com dons especiais. Nesta condição, somos seres "anormais" aos olhos dos outros e aos nossos próprios olhos, e isso é muito,

muito difícil e duro. "Depois que nos descobrimos e tomamos consciência de quem somos, tudo melhora, quer dizer, continua sendo difícil, é claro, mas só que de um outro modo. É diferente e melhor quando sabemos quem somos".

A filha de Karina tem um namorado que também é Índigo/ Cristal, provavelmente. Ele se chama Alexandre, tem 15 anos, escreve poesias lindas, além de ter outras capacidades. Alexandre enviou duas poesias, uma delas está no início deste capítulo e a outra é transcrita a seguir. Espero que você, leitor, receba todo o amor e a maravilhosa energia que ele transmite.

FILHO DA NATUREZA

Sei que todas as vezes que olho para a Lua, meu olhar corre em busca da serenidade, no barulho, na tranquilidade, a beleza da noite me invade.

O sol de minhas manhãs, a água da fonte, o forte da mente, sei que sou diferente, além dos horizontes, meu espírito à frente, quem não sente?

Terra que me envolve, me prende, suspenso no ar, não me deixo levar por esta terra, ventania das guerras, sei que no coração paro isso com um simples olhar.

Queima a vontade sobre a matéria, nas chamas da verdade me faço ascender, minha força, minha realidade, sei que neste mundo não vou perder, não pros mundanos.

Humano? Não, eu sei que não, afirmo com certeza, no fundo da alma, na beleza do coração, digo com força de expressão: sou o filho da natureza...

Alexandre

Em seu livro *Homenaje a los niños Índigo*, Carroll e Tober citam inúmeros casos de Índigo jovens e adultos que lhes enviaram cartas falando de sua identificação com as características e perfil de cada um, apresentados no primeiro livro dos autores. Transcreverei a seguir alguns trechos que julgo muito interessantes da carta remetida por um jovem de 26 anos, Índigo e pai de duas crianças Índigo. A carta é longa e muita linda. O jovem fala de sua "maravilhosa" experiência de ser e de conviver com Índigo, embora tenha passado por alguns dissabores e dificuldades na infância, por conta de certa incompreensão e também da separação de seus pais.

A história de Jacob

Jacob afirma que não teve dificuldades para educar seus filhos, por recordar de toda a sua infância e usar essas memórias a favor da educação das crianças. Ele escreve:

Quando eu era pequeno, sabia exatamente quem era. Lembro-me de que contava coisas a meus pais, coisas que eu sabia. Porém, eles sempre me diziam que me limitasse a ser uma criança. Costumava ir ao dormitório de meus pais à noite e falar para minha mãe sobre os "pratos voadores" que via. Ela me dizia que não existiam e que voltasse para a cama. Anos depois, estava sentado junto à minha mãe na igreja e lhe disse que via luzes em volta das pessoas. Contei-lhe que via uma luz vermelha ao redor da pintura de Jesus que havia na parede e que queria saber por que estava louco. Minha mãe me disse que eu não podia ver essas coisas, que Jesus não estava louco e que me calasse e tivesse um pouco de respeito.

Depois de muitas situações semelhantes, deixei de relatar às pessoas as coisas estranhas que via e que sabia que eram certas. Na adolescência, sentia-me indesejado, pois todas as mulheres que meu pai teve, após sua separação, abandonaram seus filhos e nos odiavam. Sentia-me culpado. Muitas vezes pensei em cometer suicídio, porém sempre me continha porque sabia que estava ali para fazer algo. Comecei a recordar coisas da juventude que estavam bloqueadas e voltei a praticar meditação. Isso me ajudou muito.

Além disso, passei a ler muito sobre filosofia oriental. Recordei que quando era pequeno – não sei se foi um sonho ou visão – uma velha senhora se aproximou e perguntou o meu nome. Disse que me chamava Jacob e ela então falou: "Ah, sim, o curador (aquele que cura as pessoas e os animais) e também um mestre. Quando chegar o momento, irão se desenvolver tuas habilidades". A mulher se foi com um sorriso amável.

Às vezes estou deitado, descansando ou a ponto de dormir, quando, de repente, meu corpo se congela e não posso mais me mover. Não posso falar, nem respirar, nem fechar os olhos, porém sigo vivo. Em geral, sinto-me atraído até as luzes, mas nem sempre. No início, assustava-me e lutava como um louco para voltar a mim mesmo. Porém, da última vez que isso ocorreu (e depois disso não voltou a acontecer), simplesmente deixei sair o medo e senti que me tiravam de meu centro. Senti como se todo o meu corpo tivesse sido atraído até esse centro. A vibração foi incrível. Então houve um golpe de luz intenso e breve e, em seguida, senti-me de um modo inexplicável. Converti-me em tudo. Era parte de tudo e tudo fazia parte de mim. Não tenho palavras para descrever a emoção e a sensação imensa de amor e integração.

Quando era pequeno, meu pai me educou na religião mórmon. Enquanto eu era criança, gostava de ir à igreja, porém, à medida que fui crescendo, comecei a questionar algumas das crenças dessa religião. Desejei conhecer, então, a postura de outras crenças e saber por que fazíamos coisas que não tinham nada a ver com Deus. Frequentei outras igrejas, como a unitária, a luterana, porém só mudava o nome e não via diferenças. Entretanto, cada uma sustentava que era a religião verdadeira. Creio que a crença verdadeira está em nosso interior, que é onde se encontra Deus e a verdade, não em um lugar, não em uma igreja, não em uma estátua.

Sei que sou um curador e mestre, porém as pessoas não me escutam. Para que vou falar? Sei que o que tenho que dizer é importante, porém não sei se as pessoas estão preparadas para ouvir. Quando tenho oportunidade de intervir em uma discussão, não me levam em conta. Por exemplo: quando falei do livro sobre as Crianças Índigo ao meu professor de taichi, *ele reagiu afirmando ser bobagem, uma estupidez* new age. *Consegui que ele reconhecesse que é possível a evolução espiritual e psicológica, porém não creio que se possa produzir neste momento. Eu lhe disse que, tanto no caso de se produzir ou de não se produzir, não devemos perder as esperanças, porque, sem esperanças, nada mudaria. Se não vai mudar nada em nosso mundo, não vejo sentido em que siga existindo. Ele que tenha me escutado.*

Jacob conta, ainda, que está casado faz nove anos com sua esposa, que também é Índigo, e que os dois se entendem muito bem e são muito felizes junto com seus filhos. Formam uma família Índigo na qual um é capaz de compreender e de ajudar o outro de modo sensível, simples e amoroso. Conclui sua carta assim:

Escrevo-lhes esta carta para saber se tiveram algum contato com outros Índigo que se sintam tão frustrados como eu. Sabemos quem somos e por que estamos aqui, porém parece que muitos outros não estão preparados para nós. Gostaria de saber se haveria a possibilidade de organizar um encontro de Índigo de todas as idades, especialmente os adultos. Gostaria muito de falar com gente que tenha passado por experiências parecidas com as minhas e que compreenda o que estou passando.

Sinto-me como se estivesse no alto de uma colina. Cheguei lá em cima e estou pronto para que as coisas comecem a rodar, porém, como? Como faço para realizar plenamente meus talentos e colocá-los em prática? O mundo tem que se dar conta de que não temos que viver assim. Podemos ter tudo o que necessitamos. Há suficiente para todos. Simplesmente necessitamos viver na Luz e deixar que o amor governe.

Jacob

Homenaje a los Niños Índigo, p. 200 a 206.

Gabriel: um lutador

Soube da chegada de Gabriel a este mundo por meio de uma amiga muito querida e especial. E, assim, de tempos em tempos, tenho notícias dele, de sua evolução e crescimento. Gabriel é neto da minha amiga. Sua filha, mãe do garoto, enviou-me o seguinte depoimento sobre a chegada e a convivência com seu filho:

Não sei como classificar meu filho Gabriel. Ele tem uma lesão neurológica leve na região occipital do cérebro. O problema foi detectado quando Gabriel tinha 9 meses, depois de um histórico de começo de vida bastante tumultuado: ele nasceu prematuro, de 32 semanas, permaneceu no CTI Neonatal por longos e difíceis 54 dias. A verdade é que percebemos que meu filho veio ao mundo com a missão de lutar com muita garra pela sua sobrevivência e pelos seus desafios. Para nós, pais e familiares mais próximos, o aprendizado com a situação de Gabriel foi transformador. Não somos mais os mesmos... Trabalhar a aceitação e o amor incondicional dentro de nós foi um grande desafio, mas que, sem dúvida, nos fez crescer muito espiritualmente.

Não tenho dúvida de que mais indiretamente, em nosso convívio social, o Gabriel e nossa atitude de aceitação desta criança maravilhosa e tão amada têm feito algumas pessoas pensarem melhor e refletirem sobre como às vezes somos insensíveis, fúteis ou preconceituosos. Meu filho, embora ainda não caminhe sozinho, nem fale, comunica-se, escolhe pessoas mais sensíveis e percebe sutilezas, informações subliminares, que são importantes para as pessoas em geral. É uma percepção diferente... Enfim, a luta por diagnósticos mais claros e por estímulos para se estar sempre incentivando uma criança como o Gabriel é um desafio. Cada passo percebido também tem um sabor muito especial!

Liz e seus dois "amadinhos" filhos, Lia e Eduardo

Liz é mãe de dois Índigo: Lia, de 9 anos, e Eduardo, de 10. Conheço as duas crianças desde que nasceram, porém acompanhei apenas algumas etapas da infância de ambas. Foi o suficiente para perceber que são crianças especiais e diferentes. Enquanto estava escrevendo este livro, falei com Liz sobre os Índigo. Ela pediu mais informações e as enviei. Depois de lê-las, junto com seu marido, pai de Lia e Eduardo, Liz resolveu passá-las aos professores da escola dos filhos. Contatei Liz também porque desejava ter notícias das crianças e de seu desenvolvimento. Confiram, então, o que Liz relata sobre seus filhos Índigo.

Nossa rotina tem sido extremamente estressante devido à cobrança de desempenho das crianças na escola. A carga excessiva de tarefas e de trabalhos faz brotar um dilema em nosso peito. Será que toda essa exigência é correta? Será que essa "fórmula" de ensinar é eficaz? Brincar não é importante? Cadê a hora livre para o lazer? Ontem à noite, a Lia, chorando, perguntou: "Mãe, não é injusto eu ter cinco dias para estudar e só dois dias para brincar?". O questionamento cortou-me o coração. Durante o tema de casa, diariamente, temos quase que "amarrar" a atenção de minha filha nas várias operações matemáticas que ela tem de apresentar. Chega ao ponto de Lia esquecer quanto é dois mais dois! Demora até meia hora para resolver um só cálculo, entre zeros quadrados e vários "que saco!". Isso tudo vindo de duas crianças (porque o Eduardo também tinha essas reações na 4ª série do Ensino Fundamental) que são motivo de elogios de todos, principalmente ao se relacionarem com as pessoas.

Os dois brincam com crianças de qualquer idade, cuidam de bebês e também conversam com adultos em um restaurante com uma facilidade espantosa! Eu mesma, às vezes, fico admirada quando alguém vem me contar um comentário feito por um deles. Certa vez, já era muito tarde e eu estava cansada, a Lia não dormia, tinha uns 5 anos, e tive um ataque histérico de mãe. "Não aguento mais. Tu não me obedece. Olha a bagunça e blá-blá-blá." Apaguei todas as luzes e deitei. Minha consciência não me deixava dormir. Por que tinha despejado toda aquela fúria na criança? Levantei e fui dar um beijinho de boa noite e pedir desculpas. Ao que ela respondeu: "Mãe, pode ficar tranquila, tu é normal! Boa noite, Deus te abençoe". Rezamos juntas antes de pegarmos no sono.

Pena não ter registrado de alguma forma passagens do Eduardo que foram interessantes. As da Lia são mais "fresquinhas" e mais frequentes também. Ela tem uma paixão por animais, que espanta. Quase todos os seus bichinhos de pelúcia têm nome. Ela fez um caderno de chamada com o nome de todos. A cada dia, um dorme com ela, seguindo um rodízio controlado pela lista do caderno. Quando algum fica "doente", dorme junto com o bichinho da vez. Às vezes, são sete ou oito de uma só vez! Os cães têm coleira e vão passear com ela no parque. Lia lhes dá injeção quando brinca de veterinária. Não podemos ter animais em casa. Certa vez tivemos um hamster, *cujo nome era Max, mas a coitadinha não tinha tempo de cuidar. Um dia ela disse, entre lágrimas: "Tenho que encontrar quem ame o Max mais do que eu, porque não tenho mais tempo para cuidar dele. Ele deve estar sentindo solidão e pode ficar doente e morrer!".*

Aquela menininha, de apenas 8 anos, acompanhava de perto a mobilização de sua mãe ao telefone falando com a avó sobre o agravamento da saúde de uma tia muito querida. Depois disso, sua mãe saiu. Quando voltou para casa, observou que estava faltando na entrada uma santa que ficava ali exposta. Foi entrando e, ao chegar à porta do quarto da criança, viu uma cena que a deixou muda de emoção. Lia havia pegado a imagem e todas as outras que encontrou pela casa, ajeitou-as sobre sua mesa de cabeceira, ajoelhou-se e, agarrada a um terço, rezava fervorosamente pela cura da tia de sua mãe. Um bilhete que ela escreveu e colocou entre os santos evidenciava as razões que mobilizavam a criança: "Tia Lulu, eu te amo, tu tens que ficar boa!".

Natasha Demkina e sua visão de raios X

O jornal *Pravda* divulgou, em janeiro de 2004, que médicos russos descobriram um magnífico dom na menina Natasha Demkina (nome verdadeiro), de 16 anos de idade. Natasha possui visão dual, sendo capaz de discernir os órgãos internos de uma pessoa sem usar raios X ou ultrassom. A menina foi submetida a testes científicos, coordenados por médicos, que confirmaram sua capacidade com provas substanciais e indiscutíveis.

A mãe de Natasha, Tatyana Vladimirovna, descreve as habilidades de sua filha: "Talvez ela seja um pouco mais madura que outros jovens de sua idade. Natasha começou a caminhar com 6 meses. Com 1 ano, recitava textos de Pushkin e Nekrasov. Aos 3 anos, dominava o alfabeto e aprendeu a manejar uma motoneve. Desde cedo, a menina apresenta maior resistência às baixas temperaturas. Praticamente andava sem roupas no inverno. Uma vez caminhou sobre a neve depois de sair do banho. Fora isso, foi uma criança normal".

A família desconhece a origem do dom que apareceu depois que ela retornou de uma cirurgia para extirpar o apêndice. Natasha já refutou diversos diagnósticos médicos feitos em outras pessoas e não errou nenhum. Pessoas comuns, vindas de diversas localidades do país, a procuram, assim como médicos, atrás de ajuda em diagnósticos clínicos. Ela deseja estudar Medicina para poder direcionar melhor sua capacidade. Entretanto, não possui condições financeiras para frequentar a universidade e diz: "Nada tenho a esconder. Que experimentem comigo. Talvez sejam capazes de explicar a natureza de minha visão secundária. Então, imagino que terei uma oportunidade de estudar na escola médica mais prestigiada".

Espero que os depoimentos relatados neste capítulo tenham conseguido, além de tocar o coração e emocionar, demonstrar a amplitude e a complexidade deste tema. Acredito que nada é mais forte, convincente e eficaz para provocar e promover a reflexão, a conscientização e a mudança do que a experiência vivida. Afinal, ser é fazer. Fica aqui o registro de uma amostra diminuta e, ao mesmo tempo, significativa daquilo que os Índigo simbolizam, a transformação e o desafio que representam para educadores, pais, sociedade e governos. Faço essa reflexão porque depende de nós, de nossa abertura e humildade para aprender, de nosso amor incondicional e capacidade de aceitação e de respeito, bem como de nossa disposição, o cuidado, a orientação e o preparo desses seres humanos tão diferentes.

Os Índigo traduzem a esperança de um mundo diferente, melhor, mais justo, amoroso e ético para todos. Eles nascem com um potencial de amor criativo e incondicional impressionante. Chegam com uma potência de iluminação fenomenal. Entretanto, depende de nós, de todos nós, compreendê-los, amá-los e ajudá-los com sabedoria a direcionar esse potencial de forma adequada, madura e positiva. Detalharemos esses dois aspectos nos capítulos finais.

6 CAPÍTULO
O desafio de conviver com os Índigo

Credo Índigo

Emily e Jessie Graham,
adolescentes Índigo,
e Wes Schrader, adulto Índigo

Eu estou caminhando,
caminhando na escuridão,
sem uma luz... Assim me
converterei em luz, para
mim e outros como eu.
Eu sou único, tanto para o
bem como para o mal...
Assim eu decidirei tudo
relativo a mim, e encontrarei
meu sentido de ser.
Eu estou limitado dentro de
um emaranhado de regras
nas quais não me encaixo...
Assim tecerei os fios que
escolher, para construir
um caminho com honra.
Eu estou atrapalhado
em nuvens de fumaça
que distorcem o que
os outros veem...
Assim limparei o ar ao meu
redor, e farei que impere
só a verdadeira visão.
Eu estou profundamente
consciente de muitas verdades
e mentiras nos outros...
Assim guardarei essas
sabedorias como um espelho
para mim mesmo.
Eu estou em um corpo
que minha energia segue
formando... Assim usarei
meu coração e minha mente
para fazê-lo forte e são.
Eu estou em um caminho
estreito cheio de fases diferentes...
Assim estabelecerei um
passo firme, para dar
um passo adiante.
Eu sou um dos muitos,
cada um com necessidades
e dons diferentes...
Assim os manterei próximos
a mim, para crescer e
aprender como um só.

Não limite seus filhos aos seus próprios ensinamentos, pois eles nasceram em outra época.

(Provérbio hebreu)

Este capítulo talvez tenha sido o mais difícil de escrever. Mas poderia ter sido o mais fácil e mais simples de todos. Para mim, uma adulta Índigo, bastaria resumir em duas curtas e singelas palavras aquilo que pais e educadores, além do restante de sociedade, necessitam saber para se relacionar com os Índigo. São instruções que possibilitariam a todos exercer de forma adequada o papel de facilitadores e guias para um saudável desenvolvimento dos Índigo em busca da realização da missão que têm a cumprir. São duas as palavras: amor e limites. Tudo seria muito fácil e tranquilo – talvez este livro e outros títulos de educação e orientação não precisassem nem ser escritos –, se não estivéssemos vivendo em meio a um grande caos social. Para resumir, somos reféns de um processo maciço de desumanização. Vivemos uma profunda e grave crise de valores. Há muito tempo nos distanciamos e nos perdemos daquilo que realmente vale, independentemente da moda, da mídia e de todo tipo de exercício ilícito e/ou doentio do poder predominante.

Os pais, as famílias sofrem muito diante de inúmeras e crescentes pressões da vida moderna, sentindo-se estressados e esgotados física e mentalmente. Devido ao cansaço e a um sentimento de impotência e descontrole, diante dos acontecimentos do cotidiano, acabam sucumbindo aos métodos e táticas mais antigos, primários e menos evoluídos de educação. Os pais se sentem sozinhos, carentes de informações e de orientações, já que os filhos não nascem portando um manual de criação e educação, infelizmente. Referi-me, no começo deste livro, aos prejuízos acumulados pela sociedade devido ao predomínio da visão mecanicista e à percepção distorcida sobre quem somos, sobre a vida, a realidade e o planeta. Ora, essa visão míope e limitada fez com que acreditássemos e depois nos acostumássemos a conviver e a nos relacionarmos, uns com os outros, sem nos conhecermos em profundidade, sem compreendermos nossa verdadeira essência espiritual e nossa natureza humana.

Conforme indica nossa inteligência, para podermos plantar flores e vê-las surgir colorindo e inebriando nossas almas com sua beleza e diversidade, é preciso que antes saibamos um pouco mais sobre as mesmas, sua natureza, peculiaridades, necessidades relativas à época propícia para plantá-las, tipo de solo, clima, adubação adequada (em qualidade, quantidade e tempo corretos) etc. Utilizando-nos dessa bela analogia para criarmos filhos saudáveis, equilibrados e felizes, com probabilidades fortes de realização e sucesso, parece-nos tão evidente que necessitemos conhecer muito, muito mais a fundo a natureza, a essência, o comportamento humano, suas necessidades e expectativas, bem como as leis que regem essa natureza, as quais, por sua vez, são regidas por leis superiores, ou seja, as leis do Universo.

É preciso buscar o conhecimento acerca dessas leis para poder compreendê-las e, então, respeitá-las e aplicá-las. Não há por que sentir constrangimento, vergonha ou intimidação em admitir nossa ignorância nessa área. Pelo contrário, admitir nossa ignorância, especialmente no território da educação das crianças e dos jovens, é antes de tudo demonstração de humildade, inteligência e sabedoria. O mundo estaria salvo, neste momento, se pelo menos a maioria dos seres humanos fizesse um pacto, admitindo suas limitações e adotando, todos, uma postura humilde, inteligente e sábia de disposição para aprender juntos. Os desafios que atingem a todos, e muito especialmente aos pais e aos que assumem o papel de educadores, são inúmeros e começam pela necessidade urgente de desvendar, descobrir e resgatar a visão de quem é, em verdade e essência, o ser humano. Juntando-se a esse que considero o maior desafio, podemos destacar as rápidas e numerosas transformações ocorridas na economia, no mercado de trabalho, nos papéis do homem e da mulher na sociedade e na família, e também os incríveis avanços tecnocientíficos dos últimos vinte anos.

A violência, em suas mais variadas formas, atinge a todos dentro e fora de nossos lares. Ela está presente no ambiente de trabalho, nas ruas, nas escolas, nas igrejas, nos governos e dentro das instituições mais nobres e que deveriam ser nossos modelos e referenciais máximos. As fontes de pressão e tensão aumentaram muito. A rapidez das mudanças e sua imprevisibilidade provocam uma sensação de descontrole e insegurança aliada aos medos, principalmente o temor do desemprego, que hoje aterroriza a todos. Consequentemente, o estresse e seu principal sintoma, a fadiga, atacam sem fazer distinções. Poderíamos nos aprofundar em cada um desses aspectos relativos às mudanças dos cenários e do contexto geral, gerando um debate riquíssimo para reflexões; entretanto, não o faremos aqui, por fugir dos objetivos específicos. O que nos interessa é salientar que a sociedade humana vive o ápice de uma crise sem precedentes em sua história, crise na qual nos encontramos imersos e em que fica cada vez mais difícil manter a cabeça "fora d'água", respirando com lucidez, enxergando o todo com clareza e nadando contra a corrente.

Em meio a essa crise, quem consegue se manter lúcido percebe que os valores fundamentais e mais elevados estão muito confusos e perdidos ante o caos estressante da busca pela sobrevivência. Entre esses valores fundamentais está a ética baseada na verdade, nos mandamentos de Deus, passando pelos direitos humanos e pela chamada boa educação. São virtudes essenciais, já que sem elas perdemos nossas capacidades humanas de amar, respeitar, ser honesto, íntegro, sentir compaixão, ser solidário, bondoso e ter noção dos limites saudáveis e necessários para uma boa convivência em sociedade. Entretanto, paradoxalmente, estamos assistindo a inúmeras guerras, que ocorrem de forma paralela e simultânea. O terrorismo mostra suas garras com assombrosa frieza e desafia-nos, mais do que nunca, a assumirmos uma posição: a favor ou contra o regime de terror. Obriga-nos a rever valores, caráter, fé, força espiritual e a adotarmos uma atitude: medrosa ou corajosa. Caso adotemos a primeira postura, tornamo-nos prisioneiros, cativos do terror e da escuridão, entregando aos que agem em nome dele todo o nosso poder, nossa energia. Na segunda atitude, estaremos dizendo sim à sobrevivência e, mais do que isso, à vida. Estaremos assumindo uma atitude afirmativa para uma vida humana digna e mais evoluída, mais iluminada e feliz.

Em meio a essa onda de terror que vem se manifestando, chama a atenção a violência generalizada e indiscriminada que atinge cidadãos, indivíduos de todas as cores, idades, credos e classes sociais. Muito especialmente, destaca-se o aumento das agressões domésticas e daquelas envolvendo jovens, adolescentes e crianças. É esse tipo de violência, no âmbito doméstico, que interessa comentar aqui, pois acreditamos na hipótese de que é aí que tudo se inicia, do ponto de vista da educação e da formação das crianças e jovens. A violência nos lares, nas relações entre casais, entre pais e filhos, na família em geral, é o germe da violência na sociedade. Desejamos refletir, inicialmente, para que possamos, em seguida, falar sobre a chegada dos Índigo, sua relação com esse contexto e seu potencial de contribuição para as transformações. Mais especificamente, a relação com esses seres humanos, o aprendizado de conviver com eles, as orientações e a sabedoria necessárias para ajudá-los e "educá-los". As aspas se justificam porque não basta apenas educar os Índigo. Temos de guiá-los, acompanhá-los e orientá-los para facilitar principalmente o processo de desenvolvimento, de desabrochar. Aprendemos muito com eles, muito mesmo.

Não nos interessam neste momento abordagens como a antropológica, que discute a cultura de uma sociedade como sendo um fator determinante para o surgimento e o crescimento da violência doméstica. Não negamos e também não ignoramos esse enfoque ou outros existentes, apenas cremos que não se ajustam a essa etapa de reflexões. Parece fundamental relembrar a abrangência do significado da palavra *violência*. Conforme o Dicionário Houaiss, o vocábulo quer dizer: qualidade do que é violento; ação ou efeito de violentar, de empregar a força física (contra alguém ou algo) ou intimidação moral contra (alguém); ato violento, crueldade, força; exercício injusto ou discricionário, geralmente ilegal, de força ou de poder; cerceamento da justiça e do direito; coação, opressão, tirania; força súbita que se faz sentir com intensidade; fúria, veemência (de sentimentos, de linguagem); dano causado por uma distorção ou alteração não autorizada (violência da censura pouco esclarecida); o gênio irascível de quem se encoleriza facilmente, e o demonstra com palavras e/ou ações; constrangimento físico ou moral exercido sobre alguém, para obrigá-lo a submeter-se à vontade de outrem; e, no âmbito do direito penal, violência arbitrária consiste em praticar a violência, no exercício de uma função ou a pretexto de exercê-la; relação sexual mantida com uma mulher mediante a utilização da força.

A partir dessa ampla definição de violência, podemos, imediatamente, depreender sua abrangência e sua presença constante nos mais variados âmbitos das relações humanas na atualidade. Na verdade, podemos afirmar, sem medo de cometer exageros, que a sociedade humana é uma projeção ampliada das relações predominantes entre homens e mulheres, entre as gerações, e nas famílias, com seus códigos de valores, hierarquia e complementaridade. Em outras palavras, podemos dizer que a sociedade e, portanto, a violência que impera nos grupos simplesmente refletem aquilo que acontece nas famílias, nos lares e no âmbito dessas relações. A família e sua dinâmica, seu funcionamento, é um espelho para o que acontece em nossa sociedade.

O psiquiatra argentino Arnaldo Rascovsky recorda que a criança, no começo de sua vida e formação, para sobreviver, deve integrar-se com seus pais, os quais cumprem uma função fundamental nessa integração. Portanto, a carência da função parental e do amor advindo dos pais produz a morte da criança em sua origem, assim como a ausência dessa função nos anos sucessivos implica um dano tanto maior quanto maior for a falta. A realização de uma boa função parental requer um grau de amor, de maturidade e de capacidade para absorver e lidar com a agressividade inata dos filhos que se apoia, principalmente, em uma história pessoal herdada de pais capazes, engendrando e desenvolvendo filhos sãos. Entretanto, Rascovsky salienta que poucos seres em nossa cultura alcançam a realização de uma ótima função parental. Segundo o autor, a mortificação dos filhos ou o filicídio, em suas formas mais atenuadas, incluem a circuncisão, o abandono temporário ou reiterado, o castigo, a proibição instintiva, a ameaça, a castração, as penalidades e vexações, a crueldade, os ataques verbais e físicos, as negações despóticas, a insensibilidade ante o sofrimento e o juízo denigritório. Todas essas formas de atitude parental ocasional ou persistente provocam feridas no ego, cujas consequências para as crianças podem ser imediatas ou remotas.

Muitas vezes, essas atitudes correspondem a imposições do meio social, às quais todos os pais devem submeter-se para serem aceitos e alcançar certo grau de adaptação aos padrões culturais e sociais do grupo em que vivem. Mas, de qualquer forma, a intensidade quantitativa desses fatores demarca a qualidade patológica e, pode-se dizer, violenta das relações e seus efeitos sobre as crianças. Para exemplificar, vejamos uma das práticas mais frequentes, o abandono. Não apenas no sentido de o pai ou a mãe deixar o lar e os filhos, mas principalmente o microabandono, como se refere Rascovsky, observado na atitude cotidiana de menosprezar, rechaçar a criança ou de não acompanhá-la em suas necessidades e anseios. Nessas situações, a presença dos pais é indispensável para a manutenção do equilíbrio e desenvolvimento da criança. Para o psiquiatra, é fato notório que o abandono habitual e reiterado adquiriu grande intensidade com o processo cultural ocidental. Nessa constatação, concordamos totalmente.

É preocupante constatar, no dia a dia, não só em conversas com mulheres, mães de todas as idades, mas observando também as veiculações dos meios de comunicação, a banalização do cuidado e do tempo que deve ser dedicado às crianças. Até profissionais da área de saúde já aceitam como natural o fato de que, no contexto da vida moderna, o que importa é a qualidade e não a quantidade de tempo dedicado aos filhos. Chegam até a fazer essa defesa publicamente. Ora, isso me parece muito, muito grave, especialmente quando parte de supostas autoridades no assunto. Não se pode admitir, mesmo dentro de todas as pressões e limites de tempo e de energia impostos pela vida moderna, que, então, uma mãe que só fica uma hora por dia com seu filho possa sentir-se tranquila e confiante desde que seja dada a tal "qualidade" de convivência. Um tipo de dedicação que também não fica claro. Afinal, o que vem a ser qualidade de cuidado e de relacionamento com uma criança ou com um adolescente?

Estudos hoje dimensionam o que seria uma quantidade mínima de tempo necessária para que principalmente as crianças formem vínculo afetivo com seus pais e/ou responsáveis. Sem esse mínimo de tempo para estar junto, conversar, cuidar, brincar, acompanhar, orientar e dar exemplos, transmitindo amor e carinho, não se forma vínculo, ou a ligação se molda de forma muito frágil. Além da falta ou fragilidade de vínculo, será difícil formar-se a empatia, fundamento da formação ética e moral nas crianças e substrato da educação e da capacidade de perceber e respeitar limites, bem como de amar e sentir compaixão. Portanto, ao falarmos em violência doméstica, não podemos nos furtar de salientar esse conjunto de aspectos que julgamos extremamente graves. E, como sabemos, violência gera mais violência e abre caminho para a morte em diferentes graus. Cresce a morte da dignidade, da fraternidade, da cooperação, da solidariedade, até chegarmos ao extremo da morte física. A violência, embora seja usada em nome da sobrevivência, é justamente a condição que mais ameaça a manutenção da vida. Não apenas dos corpos físicos, mas principalmente como seres humanos íntegros, dignos e essencialmente espirituais.

A violência é fator de desumanização da sociedade, descaracterizando-nos de tudo aquilo que, potencialmente, nos diferencia de outras espécies animais e nos classifica como seres de terceira dimensão, em processo de ascensão, de evolução para a quarta dimensão. No Credo Índigo, apresentado na abertura deste capítulo, é dito: "Eu sou único, tanto para o bem como para o mal...". Isso significa, em se tratando de Índigo, que eles têm dentro de si, como parte da frequência energética em constante vibração, muito bom senso e noção do que é certo ou errado, ou seja, dos limites. Eles sabem também, de forma telepática, quando algo ou alguém fala a verdade, está sendo verdadeiro, e sabem que têm uma missão na Terra. Embora alguns Índigo cheguem à vida adulta sem ter a clareza de que espaço ocupar ou de que modo cumprir essa missão, eles sabem que vieram fazer algo especial. Eles também têm consciência da sua nobreza de alma e de que merecem ser honrados e tratados com respeito.

Podem acontecer fundamentalmente duas situações na relação dos Índigo com pais e educadores. A primeira: se não forem compreendidos, honrados e tratados com respeito, se não tiverem formado bons vínculos afetivos e recebido fortes exemplos e orientação quanto a valores éticos e se, além disso, não forem ajudados, no sentido de ser quem são, e orientados para canalizarem adequadamente todo o seu potencial energético, que é muito grande e intenso, os Índigo podem ser levados para uma atuação agressiva externa, destrutiva em relação aos outros. É importante entender que este funcionamento agressivo e destrutivo, se ocorrer, é em decorrência de sentimentos depressivos e de grande frustração diante de valores e ideais que não estão sendo respeitados, sistematicamente, ou seja, de forma habitual, pelos pais, pelos educadores, pela sociedade ao redor. Em função também da falta de uma clara definição de limites em sua criação, os Índigo sentem isso muito fortemente e se deixam afetar diferentemente daqueles que não são como eles. Esses seres humanos especiais sentem que precisam fazer algo para, em alguma situação, chamar a atenção de todo o sistema vigente sobre erros cometidos, injustiças e perversidades. Nesses casos, os Índigo podem adotar atitudes agressivas radicais. Mas, que fique bem claro, quando os Índigo agem assim, de forma extrema, é porque já viram se esgotar as esperanças, depois de várias tentativas de serem ouvidos e de tentarem transformar a situação. Eles agem orientados por um ideal elevado, geralmente de liberdade, paz, esperança, amor e ética. Diferentemente da conduta de um simples psicopata ou antissocial, que atuam sem consciência, os Índigo agem movidos por uma noção forte de ideais elevados e com intenção de provocar uma mudança para melhor, no ambiente e nas pessoas. Entretanto, é preciso salientar que pode ser assustador para quem se relaciona com eles, pois eles realmente não conhecem o medo nem a culpa. Neste sentido, são mais evoluídos, espiritualmente falando.

A segunda situação que pode ocorrer é que os Índigo reajam de forma autodestrutiva e, devido aos mesmos sentimentos depressivos, de frustração e de sofrimento, voltam-se para hábitos autodestrutivos, como o uso de drogas, a prática de esportes ultrarradicais, vestir roupas que denotam agressividade e a necessidade de chocar e chamar a atenção. Como uma adolescente que encontrei em um *shopping*, há pouco tempo, passeando com seu pai. A garota usava cabelos pintados de negro e cobrindo os olhos, tinha as unhas pintadas de preto e vários *piercings*, vestia roupa de cor predominantemente preta, que deixava várias partes do corpo expostas, e mostrava atitude que contrastava radicalmente com a figura do pai, que estava de terno e gravata e cheio de pose, para quem passeava em um sábado com a filha jovem. É importante destacar que nesse tipo de reação autodestrutiva podemos enquadrar, hoje, uma significativa parcela da população jovem. Parcela esta que vem adotando uma atitude que, em parte, pode se chamar de simples contestação passageira de uma fase típica, como é a adolescência, mas que traz junto uma série de atitudes de alto risco para a própria vida, as quais demonstram, para quem observa com mais cuidado, que algo não vai bem ou que algo vai muito mal!

O que quisemos destacar aqui é que a violência nos lares e no processo dito educativo, quando se trata dos Índigo, assume contornos e consequências diferentes. Afinal, estamos falando de seres diferentes. A violência, como foi dito antes, é fator de desumanização, começa, invariavelmente dentro dos lares e independe de cor, credo ou nível social. Aspecto bastante duro e grave de nossa vida social e familiar que deve ser enfatizado devido ao fato de sua presença e infiltração entre nós já estarem sendo banalizadas e aceitas como algo quase “normal” nos dias de hoje. Isso significa dizer que as pessoas se comovem, se chocam na hora em que ouvem ou leem uma determinada notícia ou situação, mas logo depois tudo parece que se acomoda, em um movimento de alienação das consciências até um nível mais extremo, em que aceitamos e já não percebemos a gravidade nem nos mobilizamos tanto com determinados acontecimentos. os Índigo, como representantes da transformação e do aperfeiçoamento da espécie humana, levam-nos a pensar sobre o quanto suas diferenças têm contribuído para gerar conflitos, confusão, desacomodação, estresse e até mesmo parte dessa violência a que estamos assistindo. E, se isso é verdadeiro, eu me pergunto o quanto faz parte da missão fundamental dos Índigo, que é a de exigir uma revisão urgente de valores por parte de pais, educadores e sociedade. E, mais do que isso, o quanto toda essa turbulência que está atingindo as famílias, a sociedade, pode estar ocorrendo simplesmente por falta de informação, por desconhecimento por parte dos pais, dos educadores e da sociedade quanto ao tema Índigo.

Parece claro que as novas gerações estão refletindo apenas e tão somente a educação (ou a falta dela!) e exemplos que receberam de pais, professores e governantes. Eles repetem um modelo. Se pudermos compreender que os filhos vêm, como revela James Redfield em seu romance *A profecia celestina*, com a missão de aperfeiçoar tudo o que os pais fizeram, não poderemos criticá-los ou repreendê-los, pois só estão repetindo e aperfeiçoando, tornando mais clara, mais enfática, mais explícita e impactante a mensagem e a atitude de seus pais e de seus referenciais. Gostaria que essas colocações levassem todos a se perguntar diariamente: que exemplo de pai, de homem ou de mulher, de ser humano, de cidadão estou sendo, honestamente, para meus filhos ou alunos? Quero dizer com isso que, obviamente, estão propondo e, mais do que isso, eles, os Índigo, estão clamando por uma revisão de valores, de atitudes e de posturas por parte dos pais, dos professores/educadores e dos governantes. Por esse motivo, eles estão dispostos até a morrer, a dar a própria vida!

Pode ser duro para os pais e para os diferentes tipos de líderes da sociedade atual ouvir e ter de encarar isso de frente, mas essa é a única saída, a única possibilidade de salvação para todos. Olhar-se no espelho, de frente, olhos nos olhos, sem desviar, sem fugir e com toda a coragem que for possível. Encarar o espelho e perguntar: Quem eu tenho sido até aqui? Quem sou de verdade?

Quando foi que me afastei de mim mesmo? E por quê? De onde eu vim? Para onde estou indo? Qual o sentido da minha vida? Qual o sentido da paternidade/maternidade para mim? Qual a missão que vim realizar nesta vida? Será que estou realizando minha missão de forma elevada através dos variados papéis que assumo em minha vida? Será que, pelo menos, estou na direção certa? Que legado gostaria de deixar para os meus filhos e para a sociedade? Que legado será que eles gostariam que eu lhes deixasse? Basta perguntar ao espelho e aguardar, com os olhos fixos nele, com muita coragem, atenção e disposição para ver e ouvir, de verdade. Lembrando aqui que os outros são nossos espelhos, incluindo nossos filhos e alunos. Principalmente eles! As crianças e os jovens são o espelho da qualidade das relações predominantes nos lares, nas famílias. Eles serão nossos líderes no futuro, tema sobre o qual falaremos posteriormente.

Por que ter filhos?

Parece fundamental propor esta questão. Afinal, tudo começa quando decidimos gerar uma nova vida, consciente ou inconscientemente. Sempre chamou minha atenção os motivos que levam o ser humano a gerar novas vidas, a ter filhos. Desde muito jovem, tinha a nítida impressão de que a maioria das pessoas toma esta decisão levada muito mais por motivações inconscientes e por instinto do que por um desejo, forte e consciente, de tê-los e de criá-los. Em muitos casos, esse impulso instintivo de procriar está aliado a motivos mais ou menos conscientes ligados ao ego, que vão desde vaidades e competições familiares – do tipo "vamos ver quem tem mais filhos e quem dá mais herdeiros à família" –, até uma busca de sentido para a própria relação do casal ou de cada um dos indivíduos que compõem a relação. Acredito que a maioria das pessoas tem filhos por um instinto de preservação da espécie, por uma questão cultural e social, repetindo simplesmente um padrão. Outros ainda têm filhos para perpetuar o sobrenome, para ter sucessores, para satisfazer uma expectativa de um dos cônjuges ou da família, ou até para espantar a solidão e a sensação de vazio. Esses motivos podem estar associados, de diferentes maneiras, a outras razões mais ou menos conscientes e maduras.

O importante é refletir sobre as motivações que levam as pessoas a querer ter filhos. Estou certa de que as justificativas e o grau de consciência e maturidade que as envolve estão diretamente relacionados ao nível de qualidade e de saúde, maior ou menor, que predominará nas relações futuras de cada nova família constituída. Tenho certeza, também, de que muitos indivíduos não reúnem as condições mínimas para serem pais. Seria um grande avanço se uma parcela dessas pessoas tomasse consciência disso e abrisse mão da paternidade/maternidade. Seria um passo decisivo se os indivíduos buscassem informação e orientação sobre a seriedade e a imensa responsabilidade envolvidas nas funções paternas e maternas. Seria muito importante que estudassem e conhecessem mais sobre as fases evolutivas do ser humano e as necessidades específicas de cada uma delas. Poderiam ter orientações mais profundas sobre como criar, amar e facilitar o processo de desenvolvimento de uma criança, de um ser humano. Seria fantástico se as escolas e os governos investissem de verdade e com seriedade nessa preparação. Afinal, estamos falando das funções mais sagradas da existência humana. Enfatizamos esse aspecto, pois temos uma outra certeza: a paz por que todos ansiamos e com que sonhamos em conquistar para o mundo depende e começa a ser gerada e cultivada justamente no berço de cada criança que nasce.

Não estou sozinha nessa convicção. O psiquiatra Salvador Célia, um pesquisador das relações entre mãe e filho e consultor do Fundo das Nações Unidas para a Infância (Unicef), afirma: “A paz começa ao se investir nos bebês”. Quando perguntado se existe uma relação entre a violência urbana, em geral, e a falta de vínculos entre mãe e bebê, Salvador respondeu, em entrevista ao jornal *Zero Hora*, de Porto Alegre: "Sim, o problema da violência revela pessoas que não têm empatia. Estudos feitos no Canadá, nos Estados Unidos e na Alemanha revelaram que os bebês que foram bem atendidos por suas mães nos três primeiros anos de vida adquiriram a capacidade de sentir o outro, de percebê-lo. Eles desenvolveram o que nós chamamos de empatia. Pessoas que têm empatia são propensas a ter mais qualidade de vida e a não ser violentas. Os criminosos não sabem sentir os outros. Acredito que a paz começa ao se investir nos bebês, para que eles se tornem mais empáticos, mais humanizados e mais capazes de sentir os outros" (*Caderno Vida*, p. 3, 15/05/2004). Voltaremos a falar sobre a importância da empatia para a saudável relação e educação dos filhos mais adiante.

O QUE OS PAIS ESPERAM E DESEJAM PARA SEUS FILHOS?

O médico indiano radicado nos Estados Unidos Deepack Chopra, autor de 19 livros traduzidos em 30 idiomas, ressalta, no começo de *As sete leis espirituais para os pais*, que todos os pais precisam de ferramentas para criar os filhos com um verdadeiro entendimento de como a natureza e a consciência funcionam. Chopra confessa que decidiu escrever esse livro atendendo a pedidos de inúmeros pais que lhe escreveram admitindo que, após lerem seu outro título, *As sete leis espirituais*, foi muito difícil aplicar as leis no cotidiano e que gostariam de tê-las aprendido anos antes. Eles lhe contavam que o valor de princípios como o ato de dar, não oferecer resistência e confiar que o Universo satisfará seus desejos agora lhes parece óbvio, mas não foi no começo. Esses pais confessaram ao autor que foi muito difícil romper os hábitos destrutivos com os quais cresceram. Manifestaram que, na qualidade atual de pais, não querem que seus filhos adquiram os mesmos maus hábitos e tenham que passar pelo mesmo sofrimento ao tentar mudar. E você, leitor, que já assume a condição de pai ou mãe, ou que talvez faça planos nesse sentido, o que deseja para seus filhos?

Imagina-se e supõe-se que, normalmente, os pais desejem, pelo menos conscientemente, o melhor para seus filhos. E o melhor tende a ser definido como a felicidade, a realização e o sucesso, este último, na cultura ocidental, está diretamente relacionado a ganhos financeiros, a riqueza material, posses e também a *status*, poder. Não é mesmo? Mas você já parou para pensar mais a fundo sobre o significado destas três palavras: felicidade, realização e sucesso? Já refletiu o suficiente sobre a profundidade, a complexidade e a diversidade de definições que cabem em cada uma dessas expressões, especialmente se considerarmos que cada ser humano, cada indivíduo e, portanto, cada filho é único? Pois lhe sugiro fazer essa reflexão, não uma, mas muitas vezes, e que a transforme em um hábito, se não diário, ao menos periódico em sua vida. E que esse hábito seja incorporado à relação com seus filhos e com seus pares. Entretanto, além dos desejos, também existem as expectativas que se mesclam e são depositadas neles, os filhos. Isso acontece naturalmente, sem que se planeje, é algo que se considera, até certo ponto, normal.

Algumas expectativas são bem explícitas e se manifestam claramente, como, por exemplo, no início da gestação e durante esse período, quando os pais e, mais intensamente, as mães esperam que seus filhos sejam fisicamente perfeitos (sem deformidades) e saudáveis. Alguns pais alimentam também a expectativa em relação ao sexo do bebê. Outros, ainda, podem alimentar expectativas veladas, ou seja, não expressas e, às vezes, até inconscientes, de que os filhos possam salvar o casamento que já não vai bem, possam trazer sentido à vida do casal ou mesmo preencher espaços vazios, lacunas existentes no mundo interior de cada um ou talvez em ambos. Esses são apenas alguns exemplos de possibilidades de configuração das expectativas dos pais em relação aos filhos. O certo é que, invariavelmente, elas estão relacionadas com o ego dos pais e com suas próprias necessidades, inseguranças, sonhos, frustrações e até fragilidades. Trata-se de um território muito, muito delicado. Sugiro que essas expectativas possam ser pensadas e examinadas à luz da consciência, por meio de numerosos diálogos consigo mesmo, entre o casal e até mesmo com a ajuda de um terapeuta, de um especialista em relações de casais e de família. Na impossibilidade de acessar um terapeuta, seria importante buscar uma pessoa confiável e qualificada, como um orientador, um educador ou conselheiro que algumas escolas ou centros comunitários disponibilizam, para ajudar a fazer essas reflexões. Boas leituras nessa área também podem ajudar e ser muito úteis.

O QUE OS FILHOS DESEJAM E ESPERAM DOS PAIS?

Falamos antes sobre os desejos e as expectativas dos pais em relação aos filhos. Tão importante quanto esta questão, e talvez até mais relevante do ponto de vista ético e para os objetivos deste livro, é falarmos e pensarmos sobre quais são as expectativas e os desejos dos filhos. Você já parou para pensar e para conversar com seu parceiro, com o pai ou a mãe de seu filho sobre esse assunto? Com seu filho (ou filhos), você costuma parar, observar e dialogar para ouvir e/ou captar e compreender de verdade as expectativas e os desejos que ele guarda em si mesmo? Pois é importante ressaltar que essas reflexões e esse diálogo são fundamentais para as relações entre todos os seres humanos, entre pais e filhos e mais ainda em se tratando de filhos Índigo. Lembre-se de que tudo o que é sentido, pensado, mas não é dito e não encontra espaço e oportunidade para se manifestar, acaba ficando guardado, reprimido, e vai reforçar aquela instância a que chamamos de "o mundo da sombra" ou, simplesmente, "sombra". A sombra é a instância ou a dimensão humana na qual se encontram sentimentos, ideias, crenças e instintos sobre os quais não temos consciência ou clareza. Por isso mesmo, a sombra tem um enorme poder de influenciar e até determinar nossas atitudes e reações. Muitas vezes, nosso comportamento ou o de nossos filhos nos surpreende exatamente porque está sendo guiado pela nossa sombra, aquele lado desconhecido nosso que se apresenta forçando uma passagem entre nossas defesas e resistências. De forma bem simples, podemos dizer que a sombra é o nosso mundo inconsciente, aquilo que não é conhecido, mas habita em nós, nosso lado escuro. Escuro porque é inconsciente, e inconsciência significa falta de luz, da mesma forma que consciência é luz!

Nesse sentido, vale dizer que, quanto menos consciência, mais sombra, mais escuridão e mais poder de domínio essa instância adquire sobre nós. E, quanto mais consciência, mais clareza, mais luz e mais poder de controle adquirimos sobre nós mesmos. Quanto mais consciente fico sobre quem sou, minhas forças, fraquezas e emoções, mais capaz torno-me de agir de forma inteligente e sábia. Isso vale para os pais que se sentem mais confiantes para ajudar os filhos a conquistar consciência e autoconhecimento e, portanto, maior domínio de seus comportamentos e atitudes. O que significa mais saúde, equilíbrio e paz nas relações. Espero ter esclarecido a questão relativa à luz e à sombra, pois ela é fundamental para que os pais percebam que, tanto a falta de diálogo com seu interior quanto a falta de um diálogo verdadeiro, franco e sincero com seus filhos contribuem muito para o crescimento e a manutenção da sombra, da falta de clareza, de luz e de consciência na relação. Quanto mais você buscar o diálogo, com disposição para ouvir mesmo, com a mente e o coração abertos, mais você estará cultivando as condições favoráveis para criar uma relação de confiança, afeto, respeito e admiração.

Um dos principais problemas enfrentados pelos pais na relação com seus filhos hoje é a falta de diálogo. Aqui é preciso entender o que é o verdadeiro diálogo, palavra de origem grega que significa conversação ou ação de conversar envolvendo duas partes. Interessa-nos o diálogo entre duas pessoas, entre pais e filhos, mais especificamente. O diálogo é a ferramenta fundamental das relações humanas, sendo imprescindível ao autoconhecimento, ao autodesenvolvimento, ao amadurecimento e à evolução humana. O diálogo, diferentemente do que alguns possam imaginar, pode, muitas vezes, prescindir da palavra falada. Sendo até desejável, e até mesmo essencial, em certas ocasiões, que se exercite e desenvolva essa habilidade ou competência de dialogar no silêncio, de comunicar-se através de outros sentidos. É quando estabelecemos um contato de alma para alma. A relação entre pessoas apaixonadas tem muito a ensinar, pois é um dos melhores exemplos dessa forma de comunicação. As mães com seus filhos recém-nascidos, também, na medida em que são capazes, pelo menos em condições normais, de perceber através do olhar de seus bebês o que eles estão desejando, o que estão necessitando. Esse nível de diálogo autêntico é o que mais necessitam manter e desenvolver os pais com seus filhos, desde muito cedo. E isso deve ser uma prática habitual e diária.

O verdadeiro diálogo implica saber ouvir, e saber ouvir é uma questão de profunda e genuína atenção – com os olhos abertos para ver, mente aberta para aprender, coração aberto para sentir –, como explicam Cooper e Sawaf em seu excelente livro sobre inteligência emocional. O interesse genuíno pelo outro é crucial para o diálogo autêntico. Para isso, é preciso importar-se com o outro, estar presente, olhar nos olhos e compartilhar ideias e sedimentar a confiança mútua, base de todas as relações humanas. É necessário perder o medo de revelar nossos verdadeiros sentimentos ou exibir nossa vulnerabilidade para se alcançar o diálogo autêntico. É fundamental também cultivar a honestidade emocional para consigo e para com os outros. Finalmente, para se alcançar o diálogo autêntico e a verdadeira troca afetiva, é essencial usar a inteligência do coração. Saber ouvir, escutar de verdade, é acima de tudo um gesto de amor. E saber ouvir sem julgar é, sem dúvida, uma forma de expressão daquilo que chamamos de amor incondicional.

Sobre a sinceridade como fator crucial na relação com os Índigo, Tober e Carroll explicam que os Índigo sabem instintivamente quem são e o que necessitam, sabem como os seres humanos devem se tratar entre si. Esperam que as pessoas sejam respeitosas e em nenhuma circunstância reagem bem a mentiras, manipulação e violência. Eles esperam explicações e, como já falamos antes, não aceitam um "não porque não". Eles prosseguem afirmando que, se temos como valor ser sinceros conosco e com nossos filhos, podemos abrir um caminho até uma nova vida, tanto para os pais quanto para os filhos. os Índigo sabem do que necessitam e, se soubermos nos manter abertos e aprendermos a escutar sem ficar na defensiva, eles nos dirão. A sinceridade, a transparência e a confiança podem ser alcançadas com base em passos simples, se os pais estão dispostos a começar consigo mesmos. Os autores chamam a atenção para um aspecto importante e que pode ser algo novo para muitos de nós, que é passarmos a considerar com seriedade o ponto de vista de uma criança. Talvez seja isso o que o mundo mais necessita: ouvir o ponto de vista dos Índigo! Eles nunca se enganam sobre a verdade e percebem claramente quando seus pais estão dando passos sinceros para conseguir um mundo mais pacífico, porque eles conhecem o maior de todos os segredos: a paz começa em casa (2003, p. 170).

Quantos conflitos, quantas discussões, quantas brigas e agressões, quantas tragédias poderiam ter sido evitadas através desse simples e, ao mesmo tempo, complexo gesto de amor? Eu não tenho dúvida de que inúmeros acontecimentos tristes e graves podem ainda ser evitados daqui para a frente, por meio de um diálogo autêntico entre pais e filhos. Lembro-me de uma passagem do excelente *filme Tiros em Columbine* (*Bowling for Columbine*), do diretor Michael Moore, em que ele entrevista o roqueiro Marilyn Manson e lhe pergunta o que diria aos jovens que cometeram tal crime (o filme trata, entre outras, da história real de dois adolescentes que promoveram uma matança em uma escola americana) se pudesse ter falado com eles. Manson respondeu: "Eu não diria nada. Eu ouviria o que eles tinham a dizer e que, provavelmente, nunca foi ouvido. E, assim, talvez a tragédia tivesse sido evitada". Soube-se depois que os jovens que cometeram o crime e se mataram tinham se queixado inúmeras vezes aos pais sobre o tratamento discriminatório e as humilhações que sofriam rotineiramente na escola. Eles haviam até procurado a direção da escola sem obter resposta ou providência. Ambos deixaram fitas de vídeo com relatos sobre as razões de seu sofrimento diário, a falta de respeito e as humilhações corriqueiras que tinham de enfrentar e que eram um verdadeiro inferno para eles. Contaram que essas razões, mais a crença de que só com medidas radicais poderiam provocar uma parada para reflexão e mudanças no perverso sistema da escola, os levaram a concretizar a matança. Deixaram gravada também uma previsão feita por eles: de que esse trágico acontecimento levaria alguém a fazer um filme sobre o tema e que assim haveria a chance de uma transformação.

A educadora Elizabeth Krieger (*in* Mencken, p. 74), a partir de sua experiência com Índigo, explica que o campo vibratório dos Índigo é sentido como diferente pelas crianças e jovens que não têm essas características. Elizabeth acredita que, talvez inconscientemente, as crianças que não são Índigo sintam essa diferença, que pode resultar em ameaça, e por isso hostilizam, menosprezam e intimidam os Índigo. A educadora aconselha aos pais que prestem atenção e estejam próximos aos fatos do dia a dia de seus filhos para poderem ajudá-los e guiá-los. Ela conta que, ao escutar a notícia do tiroteio na escola, imediatamente pensou que os meninos autores da tragédia eram Índigo. Sua filha disse:

"Quiseram fazê-lo porque eram Índigo e simplesmente o fizeram, sem remorsos e sem culpa, porque sentiram necessidade de fazê-lo". Elizabeth salienta que, como os Índigo não sentem culpa e se rebelam diante da autoridade, é fundamental que os pais lhes ensinem desde a mais tenra idade princípios morais, éticos e espirituais. É necessário explicar-lhes as leis do Universo, principalmente a lei de causa e efeito, ou lei do retorno, ou ainda lei do carma. É preciso que eles sejam levados a compreender que toda energia negativa que expressam voltará magnificada para eles, assim como a energia positiva também volta. E que terão de prestar contas a Deus e são responsáveis por seus atos. Esta deve ser a base de toda educação Índigo e deve começar muito cedo, insistimos.

Concordo com o que Marilyn Manson disse ao ser entrevistado por Michael Moore. Responderia da mesma forma. os Índigo desejam, necessitam e esperam ser ouvidos de verdade, com sinceridade e interesse! Acredito que o diálogo autêntico e amoroso pode ser tão terapêutico a ponto de salvar vidas. Se prestarmos atenção nos filmes, nas revistas e nas programações que têm atraído crianças e jovens, podemos depreender muitas coisas importantes, mas, principalmente, que eles estão muito carentes de duas coisas: amor incondicional e limites baseados na verdade. Como essas duas "coisas" estão escassas no mundo das relações humanas, eles acabam se abastecendo e se "alimentando" daquilo que aparece e lhes é oferecido mais facilmente e com fartura. E, como sabemos, essa abundância não significa qualidade, muito pelo contrário. Entretanto, as crianças e os jovens não estão ficando menos seletivos ou menos exigentes e sensíveis quanto ao quesito qualidade. O que acontece é justamente o contrário. os Índigo, de modo especial, como já vimos, são sensíveis ao extremo, trazem consigo o senso do que é correto, puro, verdadeiro, bom, saudável e sabem que têm uma missão. Só que eles não encontram, muitas vezes, um ambiente familiar, escolar e social favorável, que os compreenda e aceite, que os respeite e honre e que ofereça qualidade. Aqui poderíamos nos demorar dando muitos exemplos colecionados nesses anos de trabalho e de vida. Vou me limitar a duas citações bem comuns, hoje em dia, que revelam essa escassez de qualidade.

Uma amiga, professora em diversas escolas particulares em Porto Alegre, contou-me a seguinte situação, chocante para ela, que a viveu, e para mim, que a ouviu. Estava ela a dar sua aula em uma manhã qualquer, quando um aluno de 15 anos levantou-se e começou a gritar, ou melhor, a urrar de modo estranho e a berrar coisas esquisitas e desencontradas enquanto se dirigia para ela, que estava na frente da turma na sala de aula. Minha amiga se assustou e não conseguia entender o que estava acontecendo. Ele parecia fora de si e agarrou-se às pernas dela com muita força, puxando as calças para baixo e berrando. Depois de sair do estado de choque, e a certo custo, ela conseguiu se desvencilhar e levou o jovem até a secretaria. Chamaram seus pais, mas veio apenas a mãe. Esta talvez seja a parte mais chocante da história. A mãe reagiu com um misto de calma, frieza e indiferença, dizendo que já sabia o que havia se passado. Opinou que certamente o filho tinha usado uma determinada droga, cocaína, durante a noite e por isso estava naquele estado. Ela falou de um modo que dava a entender que aquilo já havia acontecido outras vezes e que já estava acostumada!

Minha amiga professora contou-me que a atitude dessa mãe não é algo isolado, assim como o fato ocorrido com o jovem. Ela me disse que a situação é muito grave, na medida em que, neste contexto de escolas particulares, os jovens recebem dinheiro à vontade e em quantias desproporcionais para a idade e a capacidade de valorizar e usar adequadamente. No entanto, não recebem atenção, carinho, cuidado, nem contam com o acompanhamento e a companhia dos pais, que parecem, em muitos casos, querer se ver livres dos filhos e chegam a dar algo como R$ 200,00 para eles irem a um jantar ou festinha na casa de amigos. Ora, se sabemos que hoje em dia a droga "rola solta" nesses programas, sendo oferecida de bandeja e com insistência, como podemos imaginar que os jovens resistirão se não tiverem o que mais necessitam, que é amor e uma clara noção de limites para se protegerem? Como? Se eles se sentem infelizes, sozinhos e abandonados e de fato são vítimas de uma violência diária, a pior de todas, que é a invisibilidade? Eles são invisíveis para quem eles mais amam e de quem esperam amor, carinho, cuidado, companhia, orientação, exemplo.

Um colega médico, especialista em estresse, relatou, durante uma conversa que travamos sobre a tensão da vida atual, a violência crescente e a preocupação com a saúde e a formação das crianças e dos jovens. Falávamos da importância de se cultivar a paz na infância, quando ele me contou que, em certa ocasião, ao acompanhar um sobrinho a um desses locais de jogos eletrônicos, já que o menino queria jogar um pouquinho, ele resolveu esperar do lado de fora. Ficou, então, a observar o comportamento das crianças e dos jovens que ali estavam. E de repente levou um choque, não há outra palavra para definir, foi um choque mesmo! Observava um menino de uns 11 anos que estava mais próximo e ao alcance de sua visão. Na máquina em que jogava, o garoto tinha que bater em tudo que aparecesse no cenário de um corredor, até destruir totalmente todos os alvos. O choque veio quando apareceu uma mulher saindo de uma das portas do corredor do jogo. O menino então acionava o botão com insistência e aparecia um porrete que ia derrubando e literalmente estraçalhava a mulher. Os golpes significavam pontos. Quanto mais acertos, mais pontos. Eis que aparecia uma criança e ele tinha de fazer o mesmo. Depois surgia um homem, e mais uma sequência de golpes. Era algo absurdo e patético. Meu colega médico começou a se sentir extremamente mal e ao mesmo tempo muito preocupado. Chamou seu sobrinho e foram embora. A sensação que meu amigo teve foi de viver em um mundo em descontrole, onde a brutalidade está sendo cultivada nas mentes e nos corações das crianças. Meu colega está ainda a se perguntar o que podemos e o que devemos fazer para transformar essa situação e construir um futuro diferente e melhor, mais pacífico. E você, o que pensa disso? O que você pode fazer em favor da transformação?

Essas duas situações estão longe de abranger a infinidade de fatos e de exemplos que encontramos sobre a carência de qualidade oferecida às crianças e aos jovens, especialmente em matéria de relações humanas. Qualidade em termos de afeto, de amor genuíno e incondicional, de orientação baseada em valores elevados e coerentes com os exemplos de conduta dos orientadores (pais, educadores e líderes). Qualidade baseada em verdade, transparência e respeito. O filme brasileiro *Cidade de Deus*, dirigido por Fernando Meirelles, serve também como exemplo da falta mais extrema da qualidade oferecida às crianças e aos jovens. O filme apresenta, sem dúvida, a dura realidade de uma parcela da população brasileira. O que vemos ali retratado é um universo no qual impera o caos social instaurado pela ausência da moral e da ética. Ética aqui entendida em seu sentido mais profundo e elevado, baseada nas leis do Universo e de Deus. Em *Cidade de Deus* vemos um mundo à parte, onde há uma total escassez de modelos e de exemplos saudáveis, de líderes positivos e razoavelmente conscientes e maduros. Impera a moral da reciprocidade ao inverso, para usar uma expressão da socióloga e escritora Cynthia Andersen Sarti. Em vez de termos um sistema constituído por três obrigações fundamentais – dar, receber e retribuir –, no qual as pessoas pautam sua conduta pelo valor positivo da família honesta e do trabalho honrado, encontramos uma sociedade vista como injusta e irremediavelmente desigual.

No sistema de reciprocidade invertido, os que romperam essas fronteiras, descrentes de qualquer sentido nesse mundo onde se sentem lesados, buscam tirar o máximo proveito. Julgando-se no direito de privar os outros na mesma medida em que se sentem privados e negando a possibilidade do arbítrio da lei. No ambiente retratado por *Cidade de Deus*, que podemos transpor em muitos aspectos para o universo da classe média e da sociedade brasileira, encontramos a presença da "sombra", mencionada anteriormente. A sombra dos indivíduos que se fortalece em sua representação coletiva. Lembrando que a sombra é tudo aquilo de que não temos consciência, clareza e tememos que se manifeste, que venha à tona, rompendo as fronteiras estabelecidas pelos nossos controles. Pois bem, imagine como as crianças e os jovens se sentem quando têm fome, fome de comida, e não têm o que comer, o que ocorre? Eles se alimentam do que for possível, o que estiver ao seu alcance, o que for oferecido. Mas, se essa fome persiste e a carência de alimento/comida também, a ponto de faltar totalmente, o que poderá fazer essa criança, esse adolescente? Ressaltemos aqui que ela ou ele estão longe de poder escolher o que mais lhes agradaria comer ou o que seus corpos necessitam por uma questão de nutrição adequada. Creio que fica fácil imaginarmos que esse ser, ainda em formação, carecendo de alimento para sua sobrevivência física e carecendo também de alimentos morais e espirituais que lhe orientem, ficará muito vulnerável e suscetível de praticar atos ilícitos para conseguir o que precisa para sobreviver. Isso não significa que percorrerá esse caminho definitivamente e como escolha de vida. Todos concordaremos quanto ao fato de que sua vulnerabilidade aumentará muito. E os riscos se multiplicam se pensarmos que, no mundo atual, não faltam aliciadores e aproveitadores de menores, de todos os tipos, formatos e calibres. Vamos fazer uma alusão, aqui, à história infantil de Chapeuzinho Vermelho. A personagem central, que tinha uma mãe bastante zelosa, que lhe dava inúmeras orientações e recomendações antes de seu enfrentamento com o mundo, com a realidade externa cheia de perigos e riscos, assim mesmo acabou caindo na lábia e na armadilha do "lobo mau".

Podemos imaginar o que se passa com o numeroso contingente de crianças e adolescentes que, desde muito cedo, não conta com um mínimo de orientação e atenção. Não recebe os "alimentos" fundamentais para satisfazer tanto suas necessidades físicas quanto aquelas de ordem mais complexa. Todo ser humano tem necessidades físicas, emocionais e espirituais. Embora na sociedade atual, com sua cultura altamente influenciada pelos valores e por uma ética capitalista, o foco e a preocupação maior estejam voltados para as demandas físicas, externas e materiais, é imprescindível que se tome consciência de que as necessidades emocionais, internas e espirituais, são igualmente importantes. Estas podem, assim como a fome física, produzir sérios distúrbios e doenças físicas e mentais, levando até mesmo à morte total ou a um certo grau de redução da atividade vital, como acontece no caso das neuroses e psicoses. As necessidades mentais e psicológicas referem-se ao fato de que todo ser humano necessita ser visto, notado, reconhecido e apreciado. Todo homem necessita ser escutado, tocado, acariciado e satisfeito sexualmente.

Além dessas necessidades, temos aquelas de ordem espiritual, relacionadas à necessidade de desenvolver a fé, cultivar a esperança, contemplar a natureza, cultivar um propósito e uma missão de vida, encontrar um sentido para a própria vida. Por outro lado, quando crianças e adolescentes, sementes e bases do futuro bem próximo, são bem atendidos e assistidos na maioria de suas necessidades físicas, mentais e espirituais, é certo que se desenvolverão de forma saudável, equilibrada e feliz. No caso dos Índigo, sendo compreendidos, aceitos e amados do jeito que são, diferentes e maravilhosos, poderão encontrar a melhor maneira de manifestar seus talentos e colocar à disposição da sociedade toda sua gama de sentidos mais evoluídos para empreendermos as transformações necessárias para a construção de uma sociedade mais evoluída. E, certamente, suas chances de sucesso e felicidade serão enormes!

Temos convicção de que as crianças e os adolescentes em geral, e mais especificamente os Índigo, necessitam, desejam e esperam, ansiosamente e com o coração muito aberto, que seus pais, seus educadores e as lideranças das escolas, das instituições e dos governos lhes ofereçam, fundamentalmente, duas coisas: amor incondicional e limites baseados na verdade. Se essas duas condições passarem a predominar em nossas relações, a paz será conquistada e outro mundo estará sendo criado por todos nós!

Amor incondicional: o que é e o que significa?

O amor e o próprio ser são unos e a descoberta de um dos dois é a percepção de ambos.
Leo Buscaglia

As melhores e mais belas coisas do mundo não podem ser vistas nem tocadas... Mas o coração as sente.
Helen Keller

Amar não é aceitar tudo.
Onde tudo é aceito, presumo que há falta de amor.
Vladimir Maiakovsky

A consciência suprema está dentro de todos: sua forma é o amor. O sinal distintivo de uma pessoa sábia é o amor infinito. O que vemos nos outros é reflexo daquilo que temos em nós; os outros são espelhos onde nos miramos.
Sathya Sai Baba (mestre indiano)

Amar é um verbo que implica, antes de tudo, ação, movimento e, portanto, transformação. Transformar-se pela ação do amor implica crescimento, aperfeiçoamento e evolução na direção de um eu e de um tu melhores, certamente. Entre as definições do Dicionário Houaiss da Língua Portuguesa para o verbo amar, encontramos sentir grande afeição, ternura ou paixão por; votar amor a si mesmo; sentir grande devoção por; adorar; gostar muito de; apreciar; ter dedicação por; honrar; venerar. Essas definições são necessárias e importantes para que possamos ampliar e aprofundar nossa compreensão e nossa reflexão sobre o que significa amar alguém de modo incondicional. Vejamos também o que significa a palavra incondicional: que não depende de; não está sujeito a qualquer tipo de condição, restrição ou limitação; que, em qualquer circunstância e sem discussão, toma partido de alguém; integral, irrestrito, total; absoluto. Creio que agora podemos partir para algumas definições mais pessoais e espontâneas sobre o amor incondicional, como ele se manifesta e de que maneira podemos descobri-lo, alimentá-lo em nós, como uma chama, para que ela se intensifique e incendeie a todos com quem nos relacionemos. Para que possamos compreender e refletir sobre as reais e urgentes necessidades de nossos Índigo, crianças e adolescentes, assim como de todos nós.

As Crianças Índigo pretendem insistir até que sejam compreendidas ou pelo menos até que as levem em conta, segundo Carroll e Tober (2003, p. 19). E manifestam isso com imensa sabedoria, como podemos perceber por meio de algumas definições sobre o amor, feitas por crianças de 4 a 8 anos, que responderam a uma pesquisa feita por psicólogos e profissionais da educação. Além de impressionarem pela beleza, profundidade e sabedoria das respostas, também nos encantam, divertem e ensinam. Vejamos:

Quando alguém ama você, a forma de falar seu nome é diferente.

Billy, 4 anos

Amor é quando você sai para comer e oferece suas batatinhas fritas, sem esperar que a outra pessoa lhe ofereça as batatinhas dela.

Chrissy, 6 anos

Se você quer aprender a amar melhor, deve começar com um amigo que você não gosta.

Nikka, 6 anos

Quando você fala para alguém algo ruim sobre você mesmo e sente medo que esta pessoa não venha a amar você por causa disso, aí você se surpreende, já que não só continua amando você como ama mais ainda.

Samantha, 7 anos

Há dois tipos de amor, o nosso amor e o amor de Deus, mas o amor de Deus junta os dois.

Jenny, 4 anos

Amor é quando a mamãe vê o papai suado e malcheiroso e ainda fala que ele é mais bonito que o Robert Redford.

Chris, 8 anos

Durante minha apresentação de piano, eu vi meu pai na plateia me acenando e sorrindo. Era a única pessoa fazendo isso e eu não sentia medo.

Cindy, 8 anos

Amor é quando você fala para um garoto que linda camisa ele está vestindo e ele a veste todo dia.

Noelle, 7 anos

Não devemos dizer "eu te amo" a não ser quando realmente sentimos. E, se sentimos, então devemos expressar ele muitas vezes. As pessoas esquecem de dizer isso.

Jessica, 8 anos

Amor é se abraçar, amor é se beijar, amor é dizer não.

Patty, 8 anos

Amor é quando seu cachorro lambe sua cara, mesmo depois que você deixa ele sozinho o dia inteiro.

Mary, 4 anos

Quando você ama alguém, seus olhos sobem e descem e pequenas estrelas saem de você.

Karen, 7 anos

Deus poderia ter dito palavras mágicas para que os pregos caíssem do crucifixo, mas ele não disse. Isso é amor.

Max, 5 anos

Essas maravilhosas e profundas definições sobre o amor não saíram de uma enciclopédia nem vieram de mentes de filósofos e pensadores famosos, mas de crianças luminosas e capazes de derreter nossos corações! Elas estão circulando pela internet e foram citadas no último livro de Jan Tober e Lee Carroll sobre os Índigo. Acredito que depois de lê-las e, principalmente, depois de saber a idade de cada um dos autores, é impossível que não tenhamos absorvido um pouco da sabedoria ou não nos sintamos tocados em nossos corações pela força e pureza desse amor. A partir dessa verdadeira aula sobre sentimentos oferecida por essas crianças, queremos destacar alguns aspectos que consideramos especialmente importantes para a compreensão e o exercício do amor incondicional. Pudemos identificar, na maioria dessas definições, a questão da incondicionalidade como sendo a essência do amor. E há também a ideia de que existem várias formas de manifestar o amor.

Entretanto, amar e ser amado sem que seja imposta qualquer condição para isso é o que todos nós desejamos e esperamos uns dos outros lá no fundo de nossas almas, no mais íntimo de nosso ser. Mesmo que durante o nosso crescimento e com a chegada da vida adulta aprendamos a negar e mascarar isso, mesmo assim não deixa de ser verdade. Pois a verdade é a verdade. Ela é imutável e a verdade é que nós, em essência, somos amor. A verdade é onde todos nós nos encontramos. É a única ponte possível. As crianças sabem bem disso. Elas são o amor em seu estado mais puro e cristalino. Eis por que é fundamental que estejamos abertos e dispostos a aprender com nossas crianças, com nossos jovens. Eles vêm com a missão de nos ensinar e talvez a melhor maneira de nos tornarmos aptos a aprender com eles seja permitir que toquem nosso coração. E despertem, assim, nossa criança interior. Ela está viva, sob qualquer condição. Pode estar adormecida, mas não morre jamais. E o que podemos aprender quando nos abrimos para aprender com as crianças?

Em primeiro lugar, que o amor se fundamenta na verdade. O amor é a própria verdade. Quando a gente ama, não há espaço para a mentira, para a falsidade, para a desonestidade. O amor, portanto, exige integridade de caráter, ou seja, agir e falar de acordo com o que pensamos e de acordo com nossos valores. Ser coerente, mesmo que isso signifique imperfeição, falhas. Afinal, o que temos de melhor para dar ao outro se não o nosso eu, o nosso verdadeiro e melhor eu? A pessoa que ama não tem necessidade de ser perfeita, apenas humana, como bem afirma e ensina, amorosamente, Leo Buscaglia. Temos medo de ser nós mesmos, de arriscar e de errar, de fracassar, pois tememos que não nos amem, que não nos queiram mais. Esse é o nosso maior temor: sermos rejeitados! E vamos pela vida exigindo a perfeição de nós mesmos. Queremos que tudo seja perfeito e que nossos filhos sejam perfeitos, em todos os sentidos.

Como bem definiu a menina Samantha, de 7 anos, amor é uma sensação maravilhosa e surpreendente quando descobrimos que nossos pais e outras pessoas nos amam exatamente como nós somos, com nossas qualidades e imperfeições. Quão revelador é saber que elas nos amam exatamente como somos e porque somos assim. Que grata surpresa, que descoberta transformadora! Fica evidente que para amarmos nossos filhos, nossas crianças e jovens como eles são e para aprendermos a nos relacionar com suas diferenças e imperfeições, precisamos antes amar a nós mesmos como nós somos, de forma incondicional. Para nos amarmos com tal profundidade e de modo absoluto, mas com maturidade e sem confundir com vaidade, orgulho, egocentrismo, precisamos buscar o autoconhecimento. Somente na medida em que nos conhecemos melhor, sem máscaras, sem disfarces, sem nenhuma maquiagem, seremos capazes de nos olhar no espelho e dizer: Ah, então este(a) sou eu? Eu vejo tuas qualidades, teus talentos e tuas limitações, percebo tuas dificuldades e fraquezas, mas enxergo tua força, teu potencial, tua energia e teu amor, e te aceito como és; eu te compreendo e te respeito, eu te admiro, eu confio em ti e eu aposto que és capaz de alcançar tua realização, tua felicidade, teu sucesso se assim o desejares e decidires.

Buscar o autoconhecimento e a consciência cada vez mais ampla e profunda de quem somos e por que estamos aqui, nesta vida, neste corpo e nesta família, neste contexto, sabermos qual é nossa missão, nos proporcionará cada vez mais condições de amar nossas crianças, nossos jovens e nossos filhos como a nós mesmos. Só assim seremos capazes e estaremos aptos a amá-los de forma incondicional, ou seja, olhando-os de frente, sem tentar enfeitar ou disfarçar suas imperfeições, sem negá-las e também sem deixar de perceber e destacar suas inúmeras qualidades. Sem deixar de enxergar cada um deles como um ser integral, um ser divino, um ser único, diferente de todos os outros que existem e, por isso mesmo, especial. Só assim conseguiremos olhar nos olhos, de igual para igual, e enxergar sua alma, seu espírito, sua essência, que é pura luz. E, assim, somente assim, seremos capazes de vencer todas as barreiras relacionadas às aparências. Como bem sabemos, as aparências nos enganam e certos enganos são muito perigosos e destrutivos, para nós e para os outros.

Quero contar uma história, de uma mãe e seu filho, que li há algum tempo, sob o título "O amor sempre vence", que ilustra perfeitamente o tema e nos dá ideia da profundidade e grandeza do que chamamos amor incondicional. Essa história foi contada por Samahria Lyte Kaufman, no livro *Os caminhos do coração*, de Richard Carlson e Benjamim Shield. A autora inicia afirmando que "só conseguimos amar quando somos felizes. Antes de amar o outro de verdade, temos que aprender a amar e a aceitar a nós mesmos. Para mim, foi um processo difícil, porque eu não me amava". Ela conta, então, a história de como o nascimento de seu filho foi um exemplo das mudanças poderosas que podem ocorrer quando tomamos consciência de que tudo depende de nós, de decidirmos viver com amor e por amor, de assumirmos o controle de nossa vida visando à felicidade. Seu filho foi diagnosticado, aos 18 meses, como sendo autista e, após seis meses, estava mergulhado nessa condição. O menino deixou de sorrir e de participar para tornar-se completamente desligado da realidade. Ela e o marido buscaram profissionais especializados na doença, esperando encontrar ajuda e tratamento. A principal forma de terapia oferecida a eles foi a comportamental. Esses pais perceberam logo que o autismo era visto como errado ou inadequado. Entretanto, não sentiam isso com o filho. Não percebiam algo de errado com o garoto. Apenas achavam que seu comportamento correspondia à sua necessidade e que, de algum modo, ele estava se protegendo!

Com base nessa feliz e amorosa percepção sobre o filho, os dois decidiram que a mãe iria trabalhar com ele e "tratá-lo". Ela passou a trabalhar com o menino durante 12 horas por dia, sete dias por semana, ao longo de três anos e meio. No diagnóstico do autismo, também foi revelado que o QI da criança estava abaixo de 30 e que apresentava mutismo e ausência completa de respostas. A mãe conta que recentemente, aos 22 anos, seu filho se formou em Ética Biomédica pela Brown University. Ela atribui, com grande emoção, essa transformação ao "milagre do amor". Cito esse exemplo, mas posso assegurar ao leitor que conheço pessoalmente alguns casos semelhantes. Um deles está entre os depoimentos do Capítulo 6. Vemos neste caso, acima de tudo, a força e o poder de transformação do amor. Vemos, mais ainda, o amor como a única ponte possível entre a mãe e o filho, entre mundos diferentes, entre as inúmeras dimensões. O amor é realmente a ponte entre o visível (aparência) e o invisível (a verdade, a essência). Para alcançar esse grau, essa intensidade, é preciso haver um olhar profundo e amoroso para o outro, um olhar que enxergue muito além das aparências e que seja capaz de romper todas as fronteiras. Esse olhar torna-se possível por meio de um sentimento considerado como a competência fundamental do amor: a empatia.

Empatia

É aquela capacidade tão humana de nos colocarmos no lugar do outro. É a capacidade de sentir e agir como se fôssemos a outra pessoa. De tomar decisões em relação a ela ou ajudá-la a tomar decisões somente depois de adentrarmos em seu coração, em sua mente e enxergarmos com os olhos da alma o que realmente ela necessita e o que será para o seu melhor bem, independentemente dos meus desejos, expectativas, interesses e opiniões. Fazer isso sem emitir julgamentos, sem precipitação e sem manipulações se aproxima muito do que vem a ser a verdadeira empatia. Dito de outra forma, empatia é o sentir ou o pensar de uma personalidade dentro de outra, até ambas alcançarem um estado de identificação. E é somente nessa identificação que o verdadeiro entendimento entre as pessoas pode ocorrer. Empatia é uma capacidade e uma competência essencial ao amor e aos relacionamentos. Pode-se afirmar, sem exageros, que sem a empatia a pessoa torna-se menos humana, pois fica desprovida da característica essencial que distingue um ser humano de outro ser. Uma pessoa sem empatia torna-se incapaz de interpretar os sentimentos alheios e, assim, impedida de estabelecer e desenvolver laços afetivos profundos e duradouros. A falta de empatia significa baixo índice de inteligência emocional. E, segundo inúmeros estudos realizados com criminosos, psicopatas e indivíduos antissociais, existe neles uma característica que é comum a todos: a ausência de empatia. Esses indivíduos são incapazes de se colocar no lugar do outro, de sentir no lugar do outro e de formar vínculos afetivos, portanto. Eles mostram-se frios, indiferentes e, por isso mesmo, capazes de matar, agredir e cometer crimes graves sem sentir nenhum remorso ou culpa.

Fica evidente, então, por que é tão séria e importante a questão do desenvolvimento da empatia e por que a destacamos tanto neste capítulo. O amor é a força, a energia vital, que nos põe em movimento, nos sustenta e nos direciona no sentido do crescimento e de uma evolução saudável. O amor é energia, e pode-se dizer que uma energia de frequência vibracional altíssima. Quanto mais profundo e incondicional for o amor, mais elevada é a frequência. Nesse sentido, pode-se comparar a empatia à capacidade de um rádio em captar ondas de determinada frequência e sintonizá-las, permitindo a comunicação perfeita. Se não há empatia, não há sintonia emocional, e a comunicação, se ocorrer, será imprecisa e superficial, sujeita a muitos ruídos. A empatia, portanto, é sentir com o outro, é envolver-se e implica lançar mão de padrões éticos e morais, como quando percebemos a aflição no olhar de nossos filhos discutindo ou brigando entre si e nos fazemos perguntas do tipo: Devo interferir já ou apenas acompanhar e respeitar, confiando na capacidade deles de se entenderem e de encontrarem uma solução para o conflito? Ou, então, quando vemos alguém sofrendo ou em perigo e nos perguntamos: O que posso fazer?

A empatia conduz a ações de ordem moral e ética, como afirma Daniel Goleman em seu livro *Inteligência emocional.* Segundo estudos citados por Goleman, quanto mais empáticas são as pessoas, mais éticas e de moral elevada elas tendem a ser (p. 119). A empatia pode ser desenvolvida, sim, mas somente na primeira infância, nos primeiros anos de vida, basicamente. Sendo fundamental que sua estimulação ocorra desde a fase em que a criança ainda é bebê. A estratégia mais poderosa para estimular o desenvolvimento da empatia é a combinação de olhar nos olhos da criança para captar e também para comunicar emoções, sentimentos, limites e dar exemplos através das próprias atitudes, gestos, reações. No caso dos Índigo, você perceberá o quanto eles têm facilidade para se comunicar pelo olhar e sem palavras, compreendendo muito rapidamente o que é transmitido, com precisão e sensibilidade. O desafio maior, pelo menos no início, é você tornar-se capaz de captar suas necessidades e expectativas, e descobrir seu modo peculiar de manifestar-se. os Índigo são por natureza empáticos, o que significa que seu potencial para desenvolver a empatia é imenso, devido a sua frequência vibracional elevada. Eles só precisam ser guiados, amados, honrados e respeitados!

É importante ressaltar que os primeiros sete anos de vida são decisivos para a formação da empatia, assim como para o aprendizado de valores morais e princípios éticos, bem como para a noção de limites e as leis espirituais do Universo. Cumpre ressaltar que nesta fase o que vale é o exemplo, portanto não há discurso que resolva as incoerências na conduta dos pais e as chamadas “mentiras brancas". A criança aprende por imitação e só pelo exemplo! Assim, fica evidente a necessidade absoluta de se dedicar atenção especial a esta fase, visto que é o tempo propício para semear e cultivar as sementes da paz. Como já vimos e exemplificamos, o amor verdadeiro e incondicional é olhar o outro como ele é e aceitá-lo, respeitá-lo em sua individualidade, em suas escolhas, naquilo que o faz diferente e único, não importando o quanto essas diferenças fujam dos meus padrões de beleza, perfeição ou correção. Não importa também quais sejam os padrões estabelecidos pela sociedade em que vivemos. Amar é honrar e reverenciar esse ser único e divino que constitui o outro. É, como ensinam os budistas, reverenciar e honrar esse outro eu que habita em cada tu que encontramos, com quem convivemos.

Amar é abrir mão de controlar o outro, de modo direto ou indireto. É compreender que o amor, como energia vital, obedece às leis do Universo. Uma delas é a lei da potencialidade pura, segundo a qual toda a criação é a consciência pura procurando se expressar a partir do não manifestado em direção ao manifestado, conforme Deepak Chopra (1998, p. 21). A tendência é que essa potencialidade pura se manifeste espontânea e naturalmente. E quando alguém ou algo tenta impedir essa manifestação através do controle, da resistência, está violando essa lei e as consequências serão sempre desfavoráveis. Exemplos não nos faltam, pois o ser humano está sempre tentando manter o controle sobre si e sobre os outros, inclusive, e ainda mais sobre "suas crianças", "seus filhos". Imagine quantos pais já tentaram controlar as decisões dos filhos quanto a escolhas, desde as mais simples e "inocentes", como o tipo de roupa a ser usado, até a escolha dos amigos, namorados ou que profissão ou carreira seguir.

Creio que todos nós conhecemos casos mais brandos e outros bem mais extremos desse controle e do abuso de poder, como costumo dizer. Todos sabemos quais são as consequências de relações pautadas pelo controle, pelo autoritarismo. Não acabam bem, pois controle não é amor, é uma forma de violência, é qualquer coisa menos amor. Com os Índigo, como já dissemos, isso não funciona mesmo! Se você insistir em tentar controlar um Índigo, terá muitos problemas. E mais: fracassará. O caminho é outro. Não é disso que as crianças e os adolescentes estão precisando, ainda mais os Índigo. Não é de controle que eles estão carentes. Eles necessitam e desejam amor, muito amor. Eles têm fome desse sentimento, um amor tão forte e incondicional que seja capaz de lhes abastecer da certeza de que vieram ao lugar certo, à família certa, na época certa e que sua missão é muito, muito importante! Deve ser assim para que eles não desejem voltar para o lugar de onde vieram. os Índigo necessitam de um amor tão forte e incondicional que seja capaz de lhes propiciar sua segunda e igualmente urgente necessidade: os limites.

Limites baseados na verdade

Existe uma máxima que vale tanto para orientar e balizar o "território" do amor quanto o da ética, dando-nos os referenciais básicos para o estabelecimento de limites:

Não faças aos outros o que não queres que façam a ti. Tudo o que fizeres aos outros estarás fazendo a ti mesmo.

Erich Fromm, *in* Savater

Nesta máxima, encontramos implícita uma das leis do Universo, a lei do carma, que diz que, quando escolhemos ações que trazem felicidade e sucesso aos outros, o fruto do nosso carma é a felicidade e o sucesso. Essa lei também é chamada Lei de causa e efeito ou Lei da ação e reação, de acordo com a física, que simplesmente nos ensina que tudo o que fizermos de positivo ou negativo, construtivo ou destrutivo, retornará para nós em algum momento. A lei do retorno, como gosto de chamá-la, pode tardar, mas nunca falhará. Sempre que o assunto tem a ver com limites, lembro-me imediatamente dela, provavelmente porque aprendi muito cedo sobre a natureza e o poder dessa lei. Na atualidade, mais do que nunca, fala-se e discute-se sobre o que são limites e, o mais difícil, como aplicá-los. Pais, educadores e sociedade estão muito preocupados com o tema, uma vez que, como já mencionamos, os índices de violência entre jovens vêm aumentando, embora não cheguem nem perto das consequências das guerras ou da fome no mundo. É fato que o comportamento dos jovens e das crianças está diferente e desafia regras e padrões antigos, tradicionais. Assim, os adultos sentem-se confusos e, às vezes, atordoados, sem saber como agir.

As mudanças na configuração da estrutura familiar, nos papéis de homens e mulheres, somadas às transformações do mercado de trabalho e a uma grave crise econômica, social e política, atribuída, em grande parte, à globalização, propiciam um quadro bastante turbulento e cheio de dúvidas, incertezas e inseguranças. Criar filhos neste início do século XXI, em plena transição, é completamente diferente do que foi criar filhos em outras épocas. Para tentar responder às inúmeras questões de ordem educacional, têm sido publicados muitos artigos e livros. Temos assistido a debates e entrevistas, frequentemente, com especialistas na área. Vamos pontuar aqui o que mais nos interessa para o tema Índigo e para os objetivos desta publicação. Sentimo-nos à vontade para isso e não pretendemos, de modo algum, esgotar o assunto, pelo contrário, talvez estejamos apenas levantando questões para serem aprofundadas em outro momento ou em outro livro.

Os limites são necessários a qualquer ser humano. Para os Índigo, eles são especialmente importantes, só que precisam ser compreendidos e aplicados de forma diferente, porque os Índigo são diferentes. Em princípio, os limites são fronteiras, demarcações visíveis ou invisíveis de um território, de um começo e de um fim, daquilo que é certo ou errado, do que é bom ou mau, do que posso ou não posso fazer, daquilo que eu devo ou não devo fazer, e assim por diante. Limites referem-se a parâmetros e referências, a valores e regras, padrões estabelecidos, leis do Universo, leis humanas. Os limites referem-se diretamente ao grau de liberdade que podemos gozar ou nível de autonomia que podemos ter a fim de conviver em determinada família, comunidade ou sociedade. Uma das dificuldades surge exatamente porque muitas leis e regras foram criadas pelo ser humano, por isso podem estar equivocadas e podem ter se tornado anacrônicas, promovendo injustiças. Precisamos nos manter atentos e abertos para rever algumas regras, principalmente aquelas que pessoalmente estabelecemos. Isso é mais difícil de se fazer, pois nossa tendência como pais, ou educadores, é de acreditarmos que, com o passar do tempo, somos inquestionáveis, realmente "autoridades" no quesito educação. O perigo é perdermos a humildade e fecharmos o caminho para a sabedoria.

A outra dificuldade pode estar em conquistar a consciência em relação às leis do Universo, a ética fundamental, e conseguir deixar para trás os velhos hábitos para seguir as leis sábias do Universo, como disseram os leitores adultos de Deepak Chopra. No entanto, os limites, como gesto de amor profundo, exigem algumas condições para funcionarem de forma saudável e construtiva, transformadora, para não dizer "educativa". Para que a vida e as relações entre pais e filhos não se tornem uma guerra, uma tragédia, como vemos frequentemente em nosso dia a dia. Os limites precisam estar embasados na verdade, pois o amor é verdade. Não a verdade criada pelos pais e educadores, baseada em sua, muitas vezes, limitada ou equivocada visão, mas a verdade fundamental que já referimos antes. Aquela que é imutável, ou seja, ensinar para as crianças que se formos mal-educados e imprudentes no trânsito, por exemplo, fazendo manobras bruscas sem sinalizar, passando com o sinal claramente fechado, jogando papéis e lixo pela janela do carro, sem se importar com os outros, com as consequências do que fazemos, vamos colher os frutos daquilo que plantamos. Teremos que assumir a responsabilidade de nossos atos. Porque a verdade sempre aparece e não adianta fugir, pois ela nos encontrará. Será tão triste se mais tarde percebermos que prejudicamos pessoas, que causamos um acidente, provocamos danos e sofrimentos materiais, físicos, psicológicos, ecológicos e, até mesmo, algumas mortes. Se provocamos tudo isso a outros seres humanos, fazemos a nós mesmos, porque cada ser humano é um outro eu. Por isso devemos respeitar as leis do Universo. É assim que podemos fazer coisas simples e capazes de mudar o mundo, a partir do nosso cotidiano.

Os limites, dissemos, precisam ser embasados na verdade. Isso significa que se os pais ou educadores colocam limites sem fundamentos, incoerentes com seus exemplos e suas atitudes, sem consistência, sem força moral, o efeito será negativo e o feitiço se voltará contra o feiticeiro, como se diz para ilustrar a ação da Lei do retorno. Lembramos que os Índigo são telepáticos, intuitivos e bastante maduros desde pequenos, têm boas noções de perigo, de riscos, bom senso e sabedoria. Como eles estão aqui como nossos filhos e alunos, é preciso compreender que estão em corpos de crianças e que temos um papel e função junto a eles. Eles não estão prontos, precisam de nossa ajuda para cumprir sua missão. Uma das coisas que podemos e devemos fazer para ajudá-los é mostrar os limites com muito amor. Como disse a menina Patty, de 8 anos, “amar é abraçar, é beijar e amar é dizer não!”. Pronto, é tão simples e, ao mesmo tempo, como parece difícil para muitos pais saber dizer não, com amor. Não precisa gritar, se escabelar, ofender e agredir, é apenas dizer não com base na verdade. Se os pais se revelam coerentes, se seus exemplos são de integridade, se os argumentos e razões oferecidos junto com o não são verdadeiros, garanto que não encontrarão resistência e ganharão o respeito, a confiança e o amor dos filhos. Os laços vão se estreitar e a confiança mútua aumentará.

Lembre-se: os Índigo sabem o que vai dentro de nós, por isso, muitas vezes, aqueles olhos enormes mirando direto em nossa alma, em nossa verdade, podem nos intimidar ou constranger, mas isso só acontecerá se você não estiver sendo sincero. Neste caso, há risco de dor, de sofrimento, pois uma das coisas que acontecem na relação com eles, quando há falta de sinceridade, é que eles se ofendem e podem começar a jogar conosco. Muitas vezes, entra em jogo uma forte agressividade. Tudo pode se complicar se nada for feito para transformar o "jogo". os Índigo percebem, instantaneamente, se há coerência ou não no limite que estamos propondo. Isso exige dos adultos um autoexame, uma revisão de valores e de consciência, para conquistarem a confiança desses seres humanos especiais. Definir limites constantes para tudo, ou seja, ficar cercando a criança, por exemplo, dizendo "não pode isso, não faz aquilo", só vai irritá-la e não funciona.

Os Índigo precisam de alguns poucos limites, claros e firmes. Uma vez estipulados esses limites, baseados na verdade, com amor e respeito, é o suficiente. O Índigo funcionará muito bem e livremente dentro do que foi estabelecido. Eles têm um potencial imenso para serem éticos, só precisam ser ajudados no sentido de manifestar. Ajudar, no caso dos Índigo, significa não atrapalhar, não impedir o fluxo natural de sua energia e de seu potencial de se manifestar. O que mais atrapalha e impede esse fluxo é a falta de amor e de limites. Por exemplo, assisti a uma mãe dizer a um Índigo de 5 anos que não passasse da área da piscina, em um hotel, para o salão de refeições, pois ele estava molhado. O menino entendeu da primeira vez. Mas a mãe, provavelmente por medo, insegurança, por não confiar ainda totalmente no filho, repetia o mesmo alerta cada vez que a criança se aproximava para conversar. Na terceira vez em que ela ia dizer a ordem, o garotinho se antecipou e pronunciou em um tom adulto, sério e tranquilizador: "Não te preocupa, mãe. Não vou passar daqui!". Não é maravilhoso? Fiquei encantada e ria sozinha assistindo à cena. os

Índigo são assim e pode ser divino conviver e se relacionar com esses seres humanos. Só precisamos aprender um pouco mais sobre eles.

Presenciei outra situação, desta vez em um elevador de um shopping, cheio de gente, onde uma menina de uns 9 anos entrou com sua mãe. Elas chegavam ao local vindas do estacionamento, já era hora do almoço. Enquanto o elevador subia, a mãe fazia um carinho nos longos cabelos da filha e me saiu com esta: "Então, filha, vamos combinar que tu vais comer tudo o que eu servir no teu prato, está bem?". O tom com que a mãe falava era de uma determinação (ordem) disfarçada de pedido. A menina imediatamente reagiu: "Não, vou comer só aquilo que eu quiser!". O tom da voz da menina era seguro, tranquilo e não havia nenhum resquício de birra, raiva ou rebeldia. Era apenas a verdade que gera paz. Assim são os Índigo!

Essas situações abundam no dia a dia. São tentativas, por parte dos pais, de estabelecer limites que fogem da verdade e do bom senso, ferem a liberdade de escolha em relação a necessidades tão, digamos assim, pessoais, como o que comer e o que vestir. Já sabemos que os Índigo odeiam isso, que respondem sempre a essas tentativas. O interessante é que suas reações tendem a ser proporcionais à atitude dos pais. No caso da menina no shopping, como sua mãe foi branda e depois respeitou sua decisão, ela reagiu da mesma forma, branda. É assim que funcionam os Índigo. Se respeitados, considerados em suas necessidades e chamados a eleger, a fazer escolhas, ainda que dentro de certos limites verdadeiros, como, por exemplo, do orçamento familiar, eles saberão responder à altura, de forma digna, madura e, muitas vezes, surpreendente, podendo, quem sabe, até oferecer ótimas sugestões de aperfeiçoamento na administração das contas domésticas. Não duvide! E, sendo boas mesmo, por que não aplicá-las? Colocar limites baseados em interesses e gostos próprios, por simples comodismo ou sem nenhum argumento ou razão plausível, com um mínimo de sabedoria, não funciona com os Índigo e o resultado será a "perda de pontos" nos quesitos respeito, confiança e autoridade.

Lembramos que a autoridade, para existir e se manter, precisa ser conquistada, jamais imposta! Por isso, vale enfatizar que os limites precisam e devem ser colocados, pois, se não forem, podem acarretar situações de raiva extrema, de descarga explosiva de emoções por parte dos Índigo, que na verdade agem assim para pedir um limite. Pode acontecer de eles reagirem com agressividade acentuada quando estão querendo duas coisas: atenção, pois talvez guardem algum sentimento ou desejo que não conseguem colocar para fora, e aí precisam de ajuda, com diálogo e paciência, para conseguir expressar e sentir alívio; e limites claros, que lhes deem segurança de que existe alguém que se importa, que cuida deles e que não vai permitir que façam algo destrutivo, além dos limites. os Índigo precisam muito ser auxiliados para conseguirem encontrar o equilíbrio de sua energia, que realmente é grande, podendo chegar à hiperatividade, como já vimos. Preste atenção, pois às vezes o excesso de raiva, de ira, de agressividade é, antes de tudo, um pedido de socorro de alguém que está sofrendo. A salvação pode ser mostrar um limite imediato, que em algumas situações poderá ser abraçar forte o Índigo e afirmar e reafirmar várias vezes que o ama muito. Em outras situações, a melhor atitude poderá ser dizer não com amor e verdade, sem medo. Não devemos vacilar, e sim ajudar!

A única liberdade que merece esse nome é a de buscar nosso próprio bem, por nosso próprio caminho, e contanto que não privemos os demais do seu nem os impeçamos de esforçar-se por consegui-lo. Cada um é o guardião natural de sua própria saúde, seja física, mental ou espiritual (Stuart Mill, *in* Savater, p. 161).

A liberdade é nosso maior anseio enquanto seres humanos. Ela nos fascina e, ao mesmo tempo, atemoriza. Ficamos paralisados com o "susto da liberdade", como já afirmou poeticamente

Eduardo Galeano. É um tema recorrente na vida, na literatura, no cinema, nas discussões e nas relações do cotidiano. O que importa enfatizar aqui é a necessidade grave e urgente de que pais e educadores revisem seus valores e suas noções de amor, de verdade e de liberdade. Que reflitam não uma, mas muitas vezes sobre seus próprios limites e limitações, antes de impor limites cegamente aos outros, principalmente quando esses outros são crianças, seres em formação, quando esses seres são diferentes, são Índigo e representam nossa esperança de um futuro melhor, pois são nossos futuros líderes! Como dizem os neurolinguistas, se continuarmos a repetir as mesmas ações, obteremos os mesmos resultados! Seria muita “burrice emocional” insistirmos em certos erros graves que vêm sendo cometidos em matéria de educação. Só podemos dar aos outros aquilo que já temos para nós, que conquistamos para nós; assim, só podemos dar amor e limites quando já conquistamos para nós essas condições. O papel dos educadores e dos pais quanto a colocar limites para as crianças e os adolescentes Índigo passa muito mais por acompanhá-los, estar junto, dar bons exemplos e dialogar sobre valores e espiritualidade a partir de situações concretas do cotidiano e das necessidades que eles forem trazendo.

Sinalizar para as fronteiras relacionadas à educação, ao bom senso, às normas de uma convivência saudável com os demais, ajudando-os a construir internamente um sensor próprio que os ajude de forma cada vez mais independente a evitar atos e reações que possam lhes causar constrangimentos, arrependimentos ou sofrimentos desnecessários. Chamo de sofrimentos desnecessários aqueles que superam a cota de dor necessária para nosso crescimento e amadurecimento, e para a formação de nosso caráter. Uma ótima maneira de ajudar e oferecer a força do exemplo é admitir um erro diante de uma criança ou jovem, pedir desculpas por esse erro ou engano de acordo com a situação ou, ainda, admitir que não sabe algo, mas que buscará ou proporá que aprendam juntos.

Para amar um Índigo,
Basta conhecer, é só querer.
Saia da escuridão e abra a sua janela,
A janela da sua alma.
Revele a sua própria luz.
Experimente, vai ser bom.
Deixe a sua criança livre,
Solte os fios da mordaça.
Grite e cante, saia correndo por aí.
Ande em círculos, se quiser.
Gire, gire sem parar.
O que a vida é em você?
Que vida ela quer em você?
Não fale, não diga nada.
Deixe ela falar.
Ouça o seu despertar.
Não queira controlar.
Chega de tanto mandar!
Aprenda a obedecer,
No fim vai me agradecer.
Sinta a vida antiga saindo de forma sofrida.
Agonizando e partindo,
A dor da vida é bonita.
É vida depois da vida.
Agora olhe nos olhos
E diga: te amo e te reconheço.
Tu és a própria Vida,
Vejo Luz em teu semblante.
Vivo e deixo viver.

Ingrid Cañete

CAPÍTULO 7

Orientações para viver, amar e aprender com os Índigo

Amar um Índigo é algo muito, muito fácil, pois eles são criaturas adoráveis, encantadoras mesmo! Possuem uma energia e uma vibração especiais, são inteligentes e espertos, captam rapidamente nossos sentimentos, pensamentos e até mesmo nossa história de vida, nossos arquétipos. Assim, quando conversamos com eles, dispensamos muitas palavras desnecessárias, atendo-nos apenas ao que realmente interessa. Índigo são sensíveis, amorosos, multissensoriais e multifuncionais, capazes de ouvir música, ler ou fazer um trabalho escolar ou ainda participar de uma conversa paralela com a maior facilidade e naturalidade, e concentrados em todas essas atividades ao mesmo tempo. Eles são assim com tudo o que lhes desperta interesse, curiosidade e paixão. os Índigo são capazes de dar respostas sábias e apropriadas antes que as perguntas sejam formuladas. São fervorosos, espiritualistas e conectados com os anjos e com Deus, com a verdade absoluta e o sentido da vida.

São almas antigas em corpos de criança, espíritos sábios. Eles não se apegam a rótulos, aparências e regras ou limites infundados, sabem como ninguém o que realmente vale nesta vida. Por isso, sofrem muito também quando não se sentem entendidos, aceitos e respeitados. os Índigo trazem o germe da paz e da conciliação, são líderes carismáticos e espontâneos, magnetizando e cativando as pessoas, de alma para alma. Tal como naquela passagem de *O pequeno príncipe*, quando o protagonista e a raposa se encontram, os Índigo nos cativam. É impossível resistir à pureza, à força e à beleza dessas almas. os Índigo se parecem em muitos aspectos com o principezinho e dizem, alguns estudiosos, que o personagem é um representante dos Índigo.

Existem riscos ou perigos na relação com os Índigo? Sim, e vou repetir, para você não esquecer: os riscos são sérios e graves caso eles não sejam amados, muito amados, e não recebam acompanhamento amoroso adequado e limites claros. Afora isso, é maravilhoso, é mágico conviver com Índigo e compartilhar de sua energia, de sua luz e de seu amor. Acontecem coisas muito inusitadas e inicialmente estranhas para quem não está acostumado. São coisas bem parecidas com o que se passa em alguns dos filmes a que eles mais gostam de assistir, como *O senhor dos anéis*, *Harry Potter* e outros. Mas essas coisas incríveis, às vezes lindas e às vezes engraçadas, você só conseguirá usufruir à medida que se abrir para o mundo deles, desenvolvendo uma confiança mútua. os Índigo aprendem a esconder muita coisa, a não revelar, já que perceberam desde cedo que chamar a atenção pode assustar as pessoas ou fazer com que os persigam, debochem e/ou humilhem. Muitos pais e famílias de Índigo também acabam por escondê-los, por temerem que seus filhos sejam rotulados e transformados em "atração de circo" para os outros. O que é bem compreensível, já que em nossa sociedade ainda não há um preparo para recebê-los e aceitá-los, compreendê-los e respeitá-los, infelizmente.

Sim, porque a convivência com um Índigo vem temperada por gratas surpresas. Vocês podem estar juntos e, de repente, ele olhar para você e começar a descrever a cor ou cores de sua aura (campo energético que envolve o corpo físico), fazer advertências de cuidados que você deve ter com a saúde, ou ainda, se houver muita confiança, contar-lhe sobre a última conversa que teve com seu anjo da guarda ou com seus guias espirituais. Talvez ele conte que teve contatos com seres e naves de outros planetas e diga que eles lhe ensinaram algo ou deixaram mensagens. Pode ser que algum aparelho elétrico ou eletrônico sofra interferências ou até queime na presença deles. Pode ser que as lâmpadas fiquem piscando quando eles estão presentes, ou até queimem também. Pode acontecer de alguma máquina ou aparelho ligar-se sozinho e depois não querer desligar. É, sim, estou falando de coisas reais a que já assisti e que vivencio diariamente. Loucura? Que nada! Não é loucura, não é ficção, é pura realidade!

Já está mais do que na hora de todos abrirem as mentes e os corações para enxergarem a nova realidade que os novos paradigmas configuraram, para receberem os novos tempos e os novos seres humanos que estão chegando para ajudar a transformar nosso planeta em um lugar mais pacífico, amoroso e feliz para todos! Pois se até o presidente do México admitiu pública e oficialmente que as 11 naves que apareceram no céu do país são reais, por que não nós? Entretanto, para conviver com os Índigo, é preciso abrir a mente e o coração e estar disposto a aprender. É fundamental e imprescindível se despojar de rótulos, de padrões tradicionais e convencionais, pois, do contrário, a convivência se tornará mais difícil, conflituosa e sofrida. os Índigo não aceitam "um não porque não" como resposta, eles querem saber os porquês e só vão sossegar se ficarem convencidos de que as razões são plausíveis e coerentes. E isso dá um trabalho! Já imaginou? Sim, porque conviver com Índigo faz pensar, refletir, revisar valores, posições, opiniões. Eles também não suportam o autoritarismo e odeiam receber ordens. Se você quiser que eles não façam algo, experimente dar uma ordem, para ver. Eles são muito criativos, originais e detestam a "mesmice", a repetição, a rotina, e por isso vão tentar sempre sugerir e implementar mudanças, em casa, entre os amigos, na escola, no ambiente de trabalho. O "pior" ou o "melhor", dependendo de como se olhe, é que eles sempre têm ótimas ideias, enxergam soluções para situações complicadas ou mesmo para simplificar e facilitar o dia a dia. Com sua liderança natural, são bem capazes de mobilizar muita gente, sem fazer nenhum esforço. São uma espécie de arquitetos do futuro, enxergam muito à frente de seu tempo e tendem a se engajar muito cedo em projetos sociais e comunitários. Todo tipo de trabalho ligado a prestar serviços para o bem comum os atrai e apaixona. São até capazes de suportar uma certa rotina se for para ajudar os outros, a comunidade. Neles habita a semente da responsabilidade social, do Líder Cidadão de que fala Marco Aurélio F. Vianna.

Os Índigo não desistem quando acreditam em uma ideia. São extremamente sinceros e honestos e têm um pacto com a verdade. Portanto, se você quiser ter dificuldades em se relacionar com eles, fechando os canais de comunicação, minta para eles ou tente enganá-los ou manipulá-los. Eles ficarão sentidos, machucados e ofendidos, tendendo a se retrair e a se afastar. Índigo são extremamente intuitivos e, assim, estão em conexão direta com outras dimensões de consciência e com sua Consciência Divina ou Divina Presença, ou ainda seu Eu Superior. Isso acontece especialmente nos primeiros anos de vida e até a adolescência. Depois dessa fase, se eles não têm com quem conversar e se não forem orientados para compreender o que lhes acontece para canalizar e equilibrar o fluxo intenso de energia, podem diminuir muito a conexão. A repressão ou a falta de investimento no desenvolvimento de seus dons faz com que enfraqueçam muito. Assim, respeite-os mesmo que você estranhe seus comportamentos e não os entenda bem.

Se eles demonstrarem fé e gostarem de rezar, conversar com os anjos, meditar, respeite-os. Se falarem sobre guias e mestres espirituais, referirem que têm visões e premonições ou sonhos vivos e muito significativos, preste atenção e respeite-os. Se falarem sobre suas ideias de promover a união, a paz mundial e resolver problemas como a pobreza, a fome e demonstrarem preocupação com os semelhantes ou desejo de trabalhar em atividades ligadas à promoção do bem da comunidade e à responsabilidade social, admire-os e os estimule. Seus sonhos e suas ideias são nobres e têm muito a nos ensinar. Deixemos, portanto, que eles nos ensinem, nos inspirem e realizem sua missão de vida. Além disso, eles têm uma impressionante capacidade de realizar e concretizar seus sonhos e ainda vão deixar muitos pais e adultos boquiabertos com seus feitos. Aguardem e verão!

Comentários e orientações de especialistas

Apresentaremos a seguir as ideias e as opiniões de alguns reconhecidos especialistas sobre o tema. Acreditamos que, desta forma, estaremos contribuindo para deixar mais claro qual é o papel dos pais e dos educadores no sentido de ajudar os Índigo a se desenvolverem saudavelmente a fim de conseguirem realizar seus potenciais e sua missão. Esses especialistas apontam, ainda, caminhos e orientações, baseados em suas próprias experiências e nos estudos e pesquisas que vêm sendo realizados pelo mundo. Para que uma criança cresça e floresça, ela necessita de amor, aceitação e elogios. Tanto para as crianças como para os adultos, podemos mostrar maneiras "melhores" de fazer as coisas sem provocar mal-estar. A criança interior que todos nós carregamos segue necessitando de amor e aprovação, afirma Juan Angel Moliterni em seu artigo "Para que uma criança floresça", publicado no livro *Consciência Índigo*, pela Fundação ÍNDIGO do Equador (2004, p. 87).

Quando as crianças se sentem bem, é justamente quando melhor fazem tudo. Desenvolvem-se maravilhosamente, diz Moliterni. E enumera as palavras que as crianças desejam ouvir, porque fazem com que se sintam bem:

- Te amo, te quero muito e sei que estás fazendo o melhor que podes.
- És perfeito como és.
- Cada dia te tornas mais encantador.
- Estou de acordo contigo.
- Vamos ver se encontramos uma maneira de fazer isso juntos.
- Crescer e mudar é divertido e podemos fazê-lo juntos.

Moliterni acrescenta que a verdade sempre deve expressar-se no nível de compreensão de uma criança. Isso só requer um pouco de bom senso e reflexão. A educação das crianças começa com a educação dos pais. O especialista aconselha e enfatiza que os pais procurem se dar conta de que sua missão fundamental é despertar o ser criador que há em cada uma das crianças, seus filhos, e levá-lo à ação e à realização. Para isso, diz Moliterni, é preciso que os Índigo sejam ajudados a compreender que existem diferenças entre o ser e o ter. Que temos amor, sabedoria, uma mente, desejos, corpo, roupas, propriedades, conta bancária, carros etc. Porém, não somos o que temos. Somos essencialmente nossa alma, o espírito, e tudo o que temos é apenas o veículo através do qual atuamos. Esse é o primeiro ensinamento que se deve dar a uma criança.

A doutora Melanie Melvyn, conselheira e membro do Instituto Britânico de Homeopatia, e cujas contribuições podem ser encontradas no *site* www.drmelanie.com, destaca a importância do respeito às Crianças Índigo. Melanie conta que, certa vez, seu filho Scott, de dois anos e meio, entrou correndo na cozinha, onde ela estava de joelhos, limpando o piso. Ela imediatamente lhe estendeu o braço, fazendo sinal para que parasse, pois o chão estava úmido. Ele então a olhou fixamente e, com grande determinação e poder, disse: "Não empurres Scott!". Ele sentiu-se desrespeitado e reagiu defendendo-se. Melanie diz que ficou impressionada com o "espírito indomável", tendo em vista a pouca idade da criança. A doutora nos oferece algumas orientações preciosas:

Nunca use técnicas falsas com as crianças

O autorrespeito dos pais vem de dentro. Se você está tentando aplicar uma técnica indicada por alguém, eles logo percebem. Seja sincero e comporte-se com eles como você realmente é. Você deve ser o modelo que seus filhos querem seguir, portanto, seja verdadeiro e íntegro, do contrário, eles se afastarão.

Respeite a si mesmo e a seus filhos como seres espirituais

Esta conduta terá como retorno o respeito da criança. É muito comum os pais, receosos de ferir "sociologicamente" seus filhos, confundirem-se e esquecerem os sérios danos que causam às crianças dando-lhes plena liberdade em um mundo grande demais, o qual não poderão dominar sem a orientação adequada.

Além disso, lembramos também que esses danos se estenderão a toda a sociedade, à medida que essas crianças forem se tornando adolescentes e adultos sem noção de limites, desequilibrados, carentes de valores sólidos e claros, com fragilidades de caráter e de princípios morais e éticos.

Olhe para seu filho como um igual espiritualmente falando. Porém, esteja consciente de que você é o pai ou a mãe. Portanto, é você quem está em posição de responsabilidade. Nesse sentido, dê-lhe oportunidade de fazer escolhas e exercitar sua liberdade em níveis adequados à sua idade e que lhe sejam fáceis de manejar. Por exemplo: permita que escolha o que deseja comer independentemente da comida que você preparou ou permita que ele ajude você a escolher o que vai cozinhar para o jantar. São caminhos para o bom exercício da liberdade.

Demarque limites

Os Índigo necessitam saber até onde podem chegar. Essa demarcação evita situações de raiva e constrangimento para seus filhos e para você, pai ou mãe. Do contrário, você estará abdicando de seu papel paterno ou materno.

Entretanto, que fique bem claro: colocar limites não tem nada a ver com gritar, ser ríspido, violento, mal-educado, raivoso e grosseiro, pois quando você age dessa forma significa justamente o oposto daquilo que deseja ensinar, ou seja, que você não tem limites, que você perdeu os limites do bom senso, da educação e corre o risco de perder o respeito e a confiança de seus filhos. Limites têm tudo a ver com bom senso, clareza quanto a valores morais e éticos, verdade, firmeza, energia, vigor e amor. Limites têm a ver com simplicidade. Mas o que é ser simples? É aquilo que não poderia ser de outro jeito, como foi perfeitamente definido no maravilhoso filme *Janelas da alma*. Segundo se sabe, quando as crianças agem de modo desafiador com os pais e isso constitui um padrão de comportamento, deve ser porque elas sentem-se desrespeitadas ou pouco respeitadas e honradas por seus pais, quando esses exercem seu poder de modo inapropriado.

Permita o exercício da liberdade

Este deve ser adequado ao grau de maturidade de seu filho. Seu papel é guiar, acompanhar, orientar e alentar. Se você tentar impor, simplesmente, sua vontade, ele vai desafiá-lo. Portanto, contenha-se e aja com sabedoria.

Evite rótulos

Os Índigo já se sentem diferentes dos outros e já sofrem emocionalmente bastante com tal situação, ou melhor, com tal condição. Sofrem, como no caso daqueles que são hiperativos ou têm déficit de atenção, por não conseguirem se manter sentados ou concentrados. Percebem-se diferentes em um sentido negativo. Eles sofrem, pois não conseguem se igualar aos demais, se comportar como os demais, ver e sentir a realidade como os outros. Quando pais, professores ou mesmo terapeutas os rotulam dizendo: "Ah, fulano é ADHD" (*Attention Deficit Hyperactivity Disorder*, Transtorno do Déficit de Atenção/Hiperatividade), isso os entristece e fere, fazendo-os sentir-se desvalorizados e estigmatizados. Isto é, além de um grande desrespeito, falta de ética, de amor e de sabedoria. Não os ajuda em nada, pelo contrário, só aumenta seu sofrimento e dor. Embora seja maravilhoso ser Índigo, também é extremamente difícil ser diferente.

Lembro-me sempre do filme *Encontrando Forrester*, no qual o menino adolescente e um dos dois personagens principais começam a ter problemas na escola, pois ele é muito inteligente, escreve bem, joga muito e se sai bem nas provas. Ele se destaca mesmo sem querer e os outros colegas começam a olhar diferente para ele. Surgem certos comentários, piadinhas. Ele sofre porque não pode ser ele. Então, trata de disfarçar seus dons e capacidades, evita responder às perguntas da professora ou erra de propósito e, principalmente, esconde o dom da escrita quando se descobre apaixonado por ela e estimulado pelo outro personagem principal, que é escritor. Ele sofre porque também não pode ser ele inteiramente.

Os Índigo necessitam de nossa ajuda amorosa para sustentar sua diferença e sentirem-se com valor e merecedores de respeito, justamente por isso! Aqui vale perguntar para eles, quando estiverem injuriados com a questão de ser diferente, se gostariam de ser iguais aos outros, a todo mundo. Eles provavelmente dirão que não e isso os ajudará a recordar sua decisão de ser quem são e sentirem-se honrados e felizes assim.

Comer

Comer não é importante para os Índigo. Sua tendência é se alimentarem com pouca quantidade de comida, o que preocupa muitos pais. Mas isso não é motivo de muita preocupação. Eles não morrerão de fome e comerão sabiamente somente o que necessitam para se manterem vivos. Sua preferência costuma ser por comidas saudáveis e uma dieta vegetariana. Geralmente, comem pequenas quantidades e não se preocupam muito com a próxima refeição. O que os pais podem fazer é oferecer-lhes informações e orientações sobre hábitos e alimentos saudáveis, e depois confiar que eles farão as escolhas mais adequadas para suas necessidades. Portanto, pais, tranquilizem-se, pois os Índigo estão conectados com a sabedoria de seu corpo, que lhes dirá o que necessitam de forma muito clara e sem as distorções que, muitas vezes, nossos hábitos e temores acabam passando.

Generosidade

Os Índigo são coração puro e sentem compaixão por outras coisas e seres viventes. Reagem fortemente diante da crueldade, da injustiça, da estupidez, da falta de humanidade, da insensibilidade. Ainda que eles queiram algumas coisas para si, não se apegam a elas e são muito, muito generosos.

Lembro-me de uma amiga contando-me sobre sua filha. Na época, a menina tinha 5 anos e, sem dúvida, era uma Índigo. Ela falava que sua filha sempre tinha respostas incríveis, para todos os problemas tinha uma solução, não parava nunca, pois tinha uma energia impressionante e era muito amorosa. Um dia, minha amiga lhe perguntou onde ficava o coração e a criança imediatamente começou a mostrar com suas mãozinhas ligeiras: "Fica aqui, aqui, aqui, aqui, e aqui e aqui...". Ela ia mostrando que o coração fica em todas as partes do corpo, em todas! Sua mãe fez o relato com os olhos cheios de lágrimas. Impossível não se emocionar! Haja coração! Pois os Índigo são mesmo assim, puro coração.

É muito importante destacar que pais sensíveis e sensitivos, como era o caso de minha amiga, podem contribuir muito para que seus filhos desenvolvam a própria sensitividade, a compaixão, a solidariedade e a generosidade que os caracterizam. Esses pais podem ajudá-los a canalizar, ou melhor, a aplicar esses dons, pois os Índigo têm muita facilidade para aproximar o que pensam e sentem daquilo que realizam e da forma como agem. Diferentemente do que ocorre em nossa sociedade, que de modo geral tende a agir de maneira bem distinta e distante daquilo que pensa ou diz que valoriza, os Índigo tendem à transparência, à coerência e a aproximar o PENSAR do AGIR. Todo desenvolvimento moral e ético nasce da compaixão, que em outras palavras é o amor em sua forma mais profunda. O código ético vem do coração e não de um conjunto rígido e frio de normas. Lembremos que, durante as crises, quem governa é o coração e não a mente. A coragem para enfrentar as crises e a vontade e disposição para correr riscos em nome do bem das outras pessoas não são resultantes do pensamento lógico, da análise racional de prós e contras de uma situação. Como bem afirma a doutora Melanie Melvyn, é nosso coração que determina, em última instância, se fazemos bem alguma coisa ou se nossas ações são corretas, éticas.

Com base na experiência e nos estudos de inúmeros profissionais, pesquisamos e destacamos 16 "conselhos" importantes para pais e educadores sobre o que funciona e o que não funciona na relação com os Índigo:

- **Alta sensibilidade:** é preciso ter claro que os Índigo, especialmente as crianças, são altamente sensíveis ao seu meio ambiente. Se parecem meio desconectados, de algum modo, é provável que tenham recebido de seu meio ambiente, da energia ambiental que os rodeia, uma vibração de desconexão. Procure ajudá-los a refazer a conexão com seu Eu Superior, com a Fonte Superior de Energia, de amor.

- **Crescer sem julgar:** fortalecidos os laços de amor com seus filhos, ajude-os a crescer sem julgar. Para isso, não os julgue de modo algum e seja completamente honesto com eles, inclusive informando-os, claramente, sobre os momentos em que você estiver em desequilíbrio. Isso é extremamente importante, pois eles são altamente telepáticos.

- **Honre o Índigo e sua energia vital:** desde o nascimento, trate as crianças como se fossem jovens adultos, utilizando de modo especial o tom de voz, para assim honrar esse ser e sua energia vital.

- **Respeito e dignidade:** sempre quando seus filhos parecerem "cabeças duras", "teimosos" ou "difíceis", lembre-se de que eles, os Índigo, já nascem sabendo de forma intuitiva quem são. Eles sabem o ser divino e digno que são e isso se traduz em seus comportamentos. Eles desejam ser tratados com respeito e dignidade, e reagem quando isso não ocorre.

- **Sem humilhações:** jamais humilhe, envergonhe ou faça pouco caso de seus filhos para obter certos comportamentos.

- **Sem impor medo ou culpa:** não funcionará usar a culpa ou a culpabilidade para manejar o comportamento deles. Dizer, por exemplo: "Espera teu pai chegar em casa" não causará nenhum efeito. A sabedoria interna dos Índigo simplesmente anula métodos antigos de disciplina como o medo e a culpa!

• **Pensar e sugerir:** funcionará, diante de problemas ou situações como a necessidade de formar uma fila (algo que eles não aceitam!), a atitude de propor que eles participem da solução dando-lhes um tempo para pensar e sugerir. Assombre-se, pois eles resolverão o problema por sua própria conta ou proporão soluções impressionantes e muito sábias! Eles se mostrarão muito responsáveis.

• **Respeito mútuo:** trate-os com respeito e eles o tratarão igualmente.

• **Diálogo aberto:** explique a eles, desde bebês, tudo o que estiver acontecendo com eles ou ao seu redor. Eles podem perceber, em nível celular, o que vocês, pais, estão fazendo.

• **Olhar nos olhos:** sempre que estiver falando e se relacionando com seu filho, olhe nos olhos dele para estabelecer e, depois, fortalecer o vínculo e a comunicação.

• **Direito à escolha:** sempre permita que eles escolham o que desejam ou necessitam para comer, dormir ou brincar. É uma questão de respeito.

• **Disciplina e limites:** discipline os Índigo da mesma maneira que faria com qualquer criança, mostrando os limites com clareza, com verdade, mas com menos emoção, pois as emoções fortes, gritos, violência, não servirão para obter resultados, assim como não funcionam o medo e a culpa.

• **Relação com equilíbrio:** se você perde o equilíbrio e grita com os Índigo, somente conseguirá perder o respeito. Eles o verão como fraco e frágil. Se você perder o respeito deles, facilmente o atropelarão, pois são muito, muito intuitivos, telepáticos e sábios. Então, seja firme, mantenha o equilíbrio, mas sem excessos!

• **Difícil mudança:** os Índigo podem mudar seu comportamento quando se sentem profundamente frustrados nas relações com outras crianças e/ou pessoas, chegando a um estado de depressão e de enclausuramento como forma de defender-se. Nesses casos, a mudança, geralmente, reflete um sentimento de solidão. Preste muita atenção para ajudá-los!

• **Busque ajuda:** caso você sinta que está em presença de Índigo e que é difícil para você se relacionar com eles, procure ajuda de facilitadores, orientadores ou terapeutas profissionais que trabalhem com crianças e adolescentes. Não se envergonhe nem tenha medo de buscar ajuda, se constatar seus limites nessa relação. Saiba que pais e educadores no mundo inteiro têm buscado ajuda por conta desses novos desafios que se apresentam na área de educação.

• **Nasce um Índigo:** lembre-se de que nem todas as crianças que nascem são Índigo. Mas, à medida que o tempo passa, mais e mais virão. Portanto, prepare-se!

O sistema educacional e os Índigo

Há muitos anos, venho recebendo depoimentos e ouvindo comentários queixosos de pais que afirmam que seus filhos não se adaptam à escola e aos professores e que estes ficam sem saber o que fazer. Esses casos dos quais venho tomando conhecimento são tanto de clientes quanto de colegas de trabalho, amigos e até familiares. Segundo esses pais, uma das queixas mais frequentes parece ser a de que os professores e as escolas não atendem às expectativas das crianças, oferecendo conteúdos e aplicando métodos obsoletos e inadequados, fazendo com que as crianças, em muitos casos, peçam e até implorem para serem tiradas da escola. Segundo Suzana Jiménez (2004, *in La Consciência Índigo*, p. 90), é fato que os sistemas educativos estão despreparados e não são os mais idôneos. Além disso, escolas que trabalham com técnicas alternativas de aprendizagem são escassas e as mensalidades são altas, bem acima do que a população de classe média pode pagar. Entretanto, devemos considerar que os problemas e as dificuldades no plano educacional, especialmente no caso dos Índigo, constituem-se em resultado de um somatório de fatores sociofamiliares com fatores ligados à própria estrutura e infraestrutura desgastada e obsoleta do sistema educacional em geral.

Os professores, como classe profissional, sofrem com a crescente desvalorização que se reflete nos baixos salários, na falta de investimentos em sua formação e qualificação, na falta de recursos, na falta de investimento em pesquisas, na falta de reconhecimento institucional e social e, consequentemente, sofrem de baixa autoestima, estresse e todos os seus efeitos, que vão desde um quadro de depressão até as síndromes de fadiga crônica ou de *burnout* (estado extremo de estresse em que há sério risco de vida). Some-se a isso o ritmo acelerado de vida que atinge a todos, a absurda falta de políticas de planejamento familiar, o tempo cada vez mais curto de que os pais dispõem e dedicam aos filhos, as alterações e as disfunções na dinâmica das famílias, as carências de ordem financeira, social e afetiva, entre outras. Fica logo evidente que temos um quadro complexo e muito desafiador diante de todos nós. Preocupa-nos o presente, mas ainda mais o futuro, já que este se constrói no presente. Sempre vale lembrar que os índios, quando vão tomar qualquer decisão, se preocupam com as consequências que essas decisões terão para sete gerações à frente da sua! E nós, o que fazemos? Parece que estamos tendo muita dificuldade em cuidar da nossa própria geração. E quanto às próximas, o que será delas?

Os Índigo vêm também para nos ajudar a transformar o sistema educacional, não tenho dúvidas. Eles têm uma tendência natural a pensar nos outros, em seu próximo, antes de pensar em si próprios. São holísticos por natureza e mais intuitivos do que racionais. Como a razão é exclusiva e a intuição é inclusiva, os Índigo são muito mais inclusivos e poderão nos ensinar e ajudar a transformar nosso modelo econômico e social falido, porque exclusivo, em um modelo de sociedade onde a inclusão seja o princípio-chave. A situação mundial é grave, urgente e paradoxal, uma vez que políticos e governantes, bem como líderes, ONGs, instituições internacionais ligadas ao humanitarismo e à justiça social, têm anunciado aos quatro ventos que a única solução de sobrevivência e sustentabilidade, a médio e longo prazos, para a humanidade, é a educação. Isso é simplesmente paradoxal! Concordo com Yhajara Paz-Castillo, psicopedagoga venezuelana especializada em terapia familiar (2004, *La Consciência Índigo*, p. 65), quando diz que somente a ideia de "educar" os Índigo já é assustadora, porque podemos orientar, guiar, apoiar, promover situações de aprendizagem, porém "educar"? Neste caso, teríamos que primeiramente buscar um entendimento bem mais profundo do que vem a ser educar. Pois, se por educar entendemos canalizar, marcar e determinar a forma de andar, escolhermos nós mesmos os caminhos que eles percorrerão, dizer-lhes como e em que pensar, então já começamos mal. Pois essa é uma ideia de educar que é sinônimo de treinar, que por sua vez é igual a adestrar e que combina muito bem com os outros animais e com a visão mecanicista que tem seu correspondente, por exemplo, na psicologia behaviorista ou comportamental. Nesta visão, como já vimos, o ser humano é visto como um mecanismo, um ser limitado ao corpo e seus aspectos biológicos, com pouca ou nenhuma atenção e respeito às necessidades e expectativas de ordem mais elevada que compõem, em seu conjunto e de forma holística, o verdadeiro ser humano.

Precisamos nos dar conta de que fomos educados e treinados para repetir padrões, obedecer a regras, nos adaptarmos e amoldarmos ao sistema social e familiar preexistente e apresentarmos resultados de padrão médio, para ficarmos na média e, de preferência, não nos destacarmos, não chamarmos a atenção. É sim, porque chamar a atenção, fugir dos padrões normais, ser diferente incomoda, incomoda muito! Eu, como professora universitária, poderia narrar inúmeros exemplos dos efeitos daquilo que chamo de "estragos do sistema educacional" sobre jovens e adultos. Mas vou contar brevemente um dos casos que mais me impressionaram. Foi em um início de semestre na universidade, quando propus um exercício de dinâmica de grupo, que tinha como objetivo principal a integração, em uma turma de alunos cujas idades variavam de 20 a 26 anos. Expliquei como funcionaria e passei a distribuir os materiais que seriam necessários: cola, tesoura, tintas, pincéis, cordões, palitos de madeira, cartolinas, lápis de cera coloridos etc.

Observava enquanto circulava pela sala para vê-los trabalhando. Eu ia dando estímulos, esclarecendo dúvidas. O clima era de alegria crescente, descontração e engajamento no exercício, à medida que as equipes se formavam e se uniam em torno de objetivos e metas comuns. Estavam todos bastante animados e motivados, com exceção de um rapaz, que não conseguia participar e estava, literalmente, paralisado no meio de tudo e de todos. Sua expressão era de angústia e aflição, parecia quase em pânico diante do que acontecia. Tentei ajudá-lo com alguns estímulos, mas não houve jeito. Depois de terminado o exercício, fizemos uma avaliação e comentários sobre o que podíamos aprender. Ele então quis se manifestar e disse como havia se sentido: "Professora, eu entrei em pânico, porque me voltou uma situação de quando eu era pequeno e estava brincando com tintas, em casa, e sujei minhas mãos, minha roupa, o chão, enfim. Minha mãe me deu uma 'chamada', repreendeu-me de forma terrível, gritou comigo, ficou furiosa e só dizia que eu tinha feito uma coisa horrível e que aquilo nunca mais deveria se repetir. Eu, que estava gostando tanto da brincadeira, naquela ocasião, fiquei traumatizado e nunca mais consegui brincar com tintas e nem lidar com toda essa sujeira e bagunça que foi feita aqui. Gostaria muito de conseguir participar, mas não consigo, não consigo".

Jamais esquecerei dessa declaração e da expressão do rapaz ao falar, ou melhor, desabafar. Acho que, no mínimo, foi uma catarse, o que deve tê-lo ajudado a ficar aliviado. Creio que neste exemplo fica evidente a força dos "estragos" que a educação, dependendo de como é entendida, pode acarretar para nós, seres humanos. Precisamos, sem demora e urgentemente, de novos modelos e técnicas para nos relacionarmos e promovermos o desenvolvimento saudável de nossas crianças e jovens, para que haja um real florescimento do potencial maravilhoso, imenso e sublime que trazem com eles. Mudou o ano, mudou o século e até o milênio, e pretendemos seguir iguais e "educar" como antes? Isso é impossível! Temos de propiciar novas situações de aprendizagem, apoiar nossas crianças e jovens, acompanhando seu descobrimento do mundo e suas maravilhas, e não dizendo o que devem descobrir, afirma Castillo (2004, p. 67). A chave-mestra para uma melhor relação de ensino-aprendizagem é o respeito e nunca será demais repetir. Se você deseja que seus filhos ou alunos o respeitem, ofereça primeiro você todo o respeito merecido e eles lhe responderão nesse mesmo alto nível. Estimule-os a estabelecer com você as "regras do jogo", seja em aula, seja em casa, pois quando eles são coparticipantes, estarão muito mais dispostos a respeitar.

Ensine a seus alunos e filhos que eles podem expressar seus sentimentos sem se sentirem vulneráveis. Ofereça-lhes alternativas para solucionar conflitos e estratégias de autoajuda. Recorde que somos seres biopsicossocioespirituais e que cada uma dessas áreas precisa e deve ser atendida. Lembre-se de que eles são telepatas e naturalmente saberão se você está sendo honesto e verdadeiro.

Assim, não tente enganá-los e evite criar confusão, tristeza e isolamento entre vocês. Aprenda a escutar seu filho ou aluno, pergunte as coisas a ele sem intimidá-lo nem persegui-lo. Ouça sem julgar, sem interromper e sem acusar antes de saber tudo o que aconteceu, lembrando que os extremos sempre são maus. Nunca é demais lembrar que você já foi criança e adolescente, e que será muito útil e de grande ajuda reavivar sua memória sobre essas fases de sua vida para poder compreender e ter empatia, de verdade, com seus filhos e alunos. Aprenda a curtir e a usufruir a dádiva de estar convivendo com Índigo. Olhe-os com os olhos da alma e acolha-os amorosamente em seu modo diferente de ser. Abra sua mente e seu coração para aprender junto com eles. Faça com que eles saibam de seu amor e sua gratidão por tê-los como filhos ou alunos, e estar tendo a honra de compartilhar com eles essa viagem que é a vida.

Zeno Manickan, escritor e estudioso dos Índigo, fala em uma nova abordagem para a educação do futuro, que ele chama sabiamente de Disciplina Amorosa. De acordo com sua visão, o ato de disciplinar é necessário e deverá ser amoroso; no entanto, não deve oferecer castigos. O Índigo não aceita castigos, por ser esta uma atitude de desrespeito e geradora de temor, raiva e conflitos. O Índigo, diz Manickan, necessita aprender a exercer e a assumir, com responsabilidade, o controle de sua vida e estar apto a tomar decisões e resolver seus próprios problemas. Concordamos com ele e ressaltamos que o modelo educacional vigente hoje é incompatível com os Índigo, uma vez que carece, fundamentalmente, de vínculos afetivos ou amor. Mas, por meio do próprio questionamento que os Índigo já têm provocado e ainda irão promover, estamos certos de que as mudanças e transformações necessárias acontecerão, aliás, já estão acontecendo.

Queremos encerrar este capítulo com algumas considerações e proposições para a reflexão e o engajamento em ações conscientes e organizadas que nos conduzam a uma educação realmente nova. Uma educação condizente com os novos tempos, com os novos paradigmas e com os novos seres humanos que estão povoando, em número crescente, este planeta. O doutor Roberto Crema, vice-reitor da Universidade Holística Internacional da Fundação Cidade da Paz (Unipaz), no Brasil, chama a atenção para a definição da palavra educação, que vem do latim *educare* e que significa "trazer para fora a sabedoria inerente ao indivíduo, atualizar seu potencial vocacional". Portanto, de acordo com Noemi Paymal (2004, p. 78), antropóloga e administradora francesa, presidente da Fundação ÍNDIGO, em Quito, no Equador, devemos urgentemente tratar de projetar um sistema educativo que possa:

- "Trazer de dentro para fora" em vez de "levar de fora para dentro" o conhecimento. Pois, na verdade, uma série de dados e informações trazidas de fora, com frequência, pode ser obsoleta, aborrecida, incompleta e inclusive "contaminante", tanto mental como espiritualmente, por não deixar espaço para a reflexão própria.
- Contemplar a "sabedoria" como essencial ao processo educativo, partindo-se da premissa de que o conhecimento sem a sabedoria é inútil e, até, perigoso.
- Reconhecer que a sabedoria é inerente a cada ser e que o indivíduo tem tudo dentro de si.

Outra reflexão importante que desejamos propor é sobre os papéis definidos em nossa sociedade como "pai" e "mãe", com suas atribuições correspondentes. A necessidade dessas crianças, nesses novos tempos, é de que os pais se revezem em suas tarefas e que ambos se envolvam em todo o processo. É fundamental que sintam e tratem os filhos como "nossos filhos". Que dediquem tempos iguais ao cuidado e atenção para com eles. Pais íntegros e equilibrados, que integrem, dentro de si, os princípios feminino e masculino de cada um, serão capazes de se dedicar à educação dos filhos de modo mais saudável, com menos conflitos e competição. Além disso, é necessário refletir sobre a possibilidade de extensão ou ampliação da paternidade e da maternidade ao âmbito de todos os adultos, homens e mulheres, em nossa sociedade. Deste modo, além dos pais biológicos, com seus deveres e responsabilidades correspondentes, teremos, quem sabe, em uma nova sociedade, com novos padrões educacionais, cada homem e cada mulher adultos assumindo a responsabilidade de criar e cuidar das crianças. É a ideia de responsabilidade comunitária.

Concordamos também com Vicente Anglada. Ele afirma que, em certas fases, a educação acaba criando monstros em vez de seres inteligentes e capazes de compreender o sentido básico da vida, capazes de viver impessoalmente, sem o afã de possessão, com esse amor puro e cândido que têm as crianças e que tanto nos ensina. Segundo Anglada, a nova educação pressupõe a introdução, na mente das crianças, da chamada "serena expectativa". Essa abordagem sugere uma educação que não se baseará simplesmente na memória, e sim na intuição dos fatos, na compreensão vital dos acontecimentos. A criança nos compreenderá porque vive em serena expectativa. Esta sempre atenta e vigilante, impedindo que a atitude de expectativa lhe cause tensão. É um estado de serenidade sem competição, separação sem ódio ou possessividade.

Nós, os pais, devemos despertar e não perder o florescimento de nosso próprio Índigo, de nossa própria Criança das Estrelas. Por que não largar tudo o que estamos fazendo por uns momentos, deixar o escritório mais cedo e espiar estes seres dotados e observá-los em silêncio, quando menos esperam? Quantas descobertas e aprendizados estarão à nossa espera?

CAPÍTULO 8

Índigo: os líderes do futuro

A tarefa não é apenas ver o que ninguém ainda viu, mas pensar o que ninguém ainda pensou sobre o que todos veem. (Schopenhauer)

Se você obedece a todas as regras, perde toda a diversão. (Katherine Hepburn)

Então, o anjo que vi em pé sobre o mar e sobre a terra levantou a mão para o céu. E jurou, por aquele que vive pelos séculos dos séculos, o mesmo que criou o céu, a terra e o mar, e tudo quanto neles existe, que não haveria mais tempo. Mas nos dias da voz do sétimo anjo, quando ele estiver para tocar a trombeta, se cumprirá o mistério de Deus, conforme ele anunciou aos seus servos, os profetas. (Apocalipse, 10:5-7)

A passagem do livro de Apocalipse citada acima revela a chegada das Crianças Índigo e Cristal à Terra. Para decifrá-la e compreender melhor suas previsões, relacionando-as ao momento que estamos vivendo, contamos com a ajuda de Barbara Marx Hubbard, futurologista, arquiteta social e fundadora do Centro de Evolução Consciente, localizado na Califórnia, Estados Unidos. Barbara afirma, em seu excelente livro *A revelação*, que estamos em um casulo físico na Terra e em um casulo psicológico dos cinco sentidos de primatas. Quando a autocentralidade for transcendida por meio de uma consciência centrada no todo, o tempo desaparecerá. Isso quer dizer que, quando a autoconsciência desaparecer e nosso estado atual de consciência evoluir para o estágio de consciência centrada em Deus, a experiência do tempo desaparecerá e nós estaremos vivendo a experiência da co-criatividade. Conforme a futurologista (p. 167), estamos em um estado de eterna evolução, de um desabrochar daquilo que está sempre em um estado pré-potencial na mente de Deus. Somos o início e o fim. Somos o todo, alfa e ômega. Cada ser total está integrado em um todo. Não há morte, somente uma ordem cada vez mais elevada, consciência e união com Deus pela cooperação das partes, do Todo Universal.

A experiência do tempo brota da experiência da morte. A autoconsciência e a morte do corpo individual são como gêmeos evoluídos e a fonte da experiência do tempo. Assim, a experiência da criatividade pura e eterna, além do tempo, nasce da experiência da imortalidade. O próximo passo no processo evolutivo é o estágio da imortalidade, o qual foi experimentado por Cristo, na Terra. Ele manifestou a possibilidade da continuidade da consciência através da morte de um corpo físico e da ressurreição de um novo corpo. Não é essencial que seja o mesmo corpo, mas sim um novo corpo e manter a consciência daquilo que somos. Nesse estágio de imortalidade, os indivíduos não perdem a consciência de suas experiências. A mente individual lembra-se de todas as experiências partilhando-as igualmente com as outras mentes. Tudo está claramente na mente de Deus, que permite acesso a um estado de consciência divino. Portanto, assinala Barbara, o próximo estágio, da experiência daqueles que já estão lá, é divinizado. O período de gestação de um ser divinizado é controlado para que se siga o projeto perfeito. O Menino Jesus natural nascerá quando o corpo estiver completamente pronto e será cônscio da criatividade de toda a experiência mediante a série universal de vidas.

Até aqui, é importante ressaltar que os Índigo e os Cristal representam o processo de transição nessa direção. Eles se encaixam perfeitamente nas descrições e revelações feitas no Apocalipse, assim como naquelas feitas em outros textos antigos, como as profecias maias. Pode-se afirmar que os Índigo e os Cristal significam a realização e a concretização do plano divino. Eles realmente representam a evolução, ou melhor, mais um estágio na evolução da espécie humana, cuja essência é divina. Lembrando que o nome Cristal é atribuído às crianças com uma frequência vibracional ainda mais elevada do que a dos Índigo, com a coloração cristalina (branco transparente e brilhante) entendida como sendo a energia crística. No sentido de tornar ainda mais claras essas previsões e sua realização, na época atual, citamos mais uma vez as ideias da futurologista:

As crianças leem o seu próprio DNA, assim como vós ledes as palavras. Elas leem a mente de Deus porque estão conscientes dela, dentro dela e unidas a ela. Nasceram com uma conexão inata e são incorruptíveis. Seus terceiros olhos, suas vozes interiores, seus canais de cognição suprassensoriais estão ligados como uma herança natural de cada criança nascida (p. 169).

Lembrai-vos, mesmo agora, há muitos dentre vós que são mutantes e que já experimentaram esse nível de consciência de alguma maneira. Foram eles que tiveram a fronte "marcada" por Deus e que evoluirão para serem co-criadores de seres humanos divinos, como membros da primeira geração de Cristos naturais. As crianças divinas sempre sabem o que ocorre com as atividades de Deus.

Vós tendes as capacidades de um Cristo natural, baseadas no seu modelo de mutação que evoluirá através das tribulações. Vós sereis capazes de autocura, telepatia, clarividência, clariaudiência, levitação, materialização e desmaterialização.

O amor empático será um estado constante: uma comunidade de cristos naturais sintonizando o projeto estabelecido por Deus, cocriando com o seu modelo, cada um dando uma contribuição única, cada um emancipando o melhor que tem de si, sempre plenamente cônscio de Deus. Essa é a forma de autogoverno na Nova Jerusalém.

Podemos perceber que todos os estudos e informações que hoje nos chegam, sobre as Crianças Índigo e Cristal, embora sejam novos e recentes, por um lado, são também, por outro lado, muito antigos e fundamentados no projeto divino e nos textos que registraram esse plano. Nosso propósito, especialmente neste capítulo, é propor que, a partir das informações oferecidas neste livro, façamos uma profunda reflexão sobre o momento único e especial que estamos vivendo neste planeta e sobre a responsabilidade imensa que temos, todos nós, no sentido de tomar consciência e cuidar, amar e honrar nossas crianças e jovens. Pois eles são os portadores do germe da transformação de nossa sociedade, de nosso planeta em um mundo pacífico, justo, amoroso, evoluído e iluminado. Um mundo onde a qualidade de vida e a felicidade sejam a única alternativa possível de viver.

Os Índigo/Cristal serão nossos líderes em um futuro muito próximo. Eles serão os governantes, os empresários, os educadores, os pais, serão os detentores do poder, de fato e de direito. Caberá a eles dar continuidade à vida e à sociedade humana. É neles que devemos depositar nossas maiores esperanças de viver para ver a concretização desse "novo mundo", pleno de paz, amor e justiça, com que todos sonhamos. Outro dia, conversando com um político de destacados ideais e ações na busca da construção desse novo mundo, ele me disse com grande ansiedade e expectativa: "Desejo muito isso, mas será que viverei para ver? Eu peço a Deus que sim!". E você, gostaria de viver para ver? Sobre o futuro, vejamos mais uma vez o que Barbara diz sobre a previsão apocalíptica:

Vós no futuro

Conhecereis a vocação do vosso destino, do vosso chamado interior, da vossa participação na criação, desde o início de vossa vida. Cada um de vós nascerá sabendo por que nasceu e o que terá de fazer. Haverá uma continuidade de consciência, uma intencionalidade, um único propósito, que guiará a ação da criança pelo período da autoeducação. (p. 169)

Durante vossa adolescência como Cristos naturais, encontrareis parceiros suprassexuais apropriados, aquelas pessoas mais adequadas a cocriar convosco. Vossa educação estará em contato com a mente de Deus. Estareis engajados num conjunto de funções pós-humanas no mais elevado grau do gênio artístico. A criatividade será a essência da vida no próximo estágio.

No vosso estado de adulto como Cristos naturais, vós vos movereis de uma função para a próxima num fluir sempre evolutivo. O progresso será definido como uma união cada vez maior com Deus. A parceria suprassexual será uma forma de união pessoal, e o casamento, uma concordância de criar junto em nome de Deus. (p. 171)

As famílias dos casais suprassexuais serão escolhidas: as crianças escolherão seus pais, os pais escolherão suas crianças. O elo será noológico – da mente – e não só biológico. Os elos dessa intenção partilhada serão mais profundos do que os elos de sangue. (p. 171)

Sinocracia será a forma de governo de seres totais unindo todos os corpos em uma comunidade de seres totais, sintonizados com o mesmo modelo, motivados pela mesma intenção para cumprirem a intenção do Criador em cada quantidade ínfima de criatividade existente em cada pessoa.

Será que essas revelações fazem parte de seus sonhos e anseios, será que elas calam fundo em seu coração? Faça a experiência de lê-las para seus filhos, para as crianças e os jovens, e observe as reações, pergunte a eles o que pensam sobre isso. Pergunte o que eles entendem e se faz algum sentido para eles. Talvez você se surpreenda com algumas reações. E, se estiver disposto e de coração aberto, poderá aprender muito com eles, não tanto com o que dizem, mas com o que expressam e manifestam através de seu ser inteiro, com a simples presença que pode ser reveladora. Para aprender, será preciso estar atento com todos os sentidos e não apenas com aqueles cinco mais conhecidos. Assim como para ser um guia, um facilitador para seus filhos ou alunos, você precisará estar presente por inteiro e com todos os seus sentidos, com a sua alma. Lembrando que o verdadeiro diálogo só acontece de alma para alma e através da linguagem do coração.

O mundo e os novos paradigmas

Vivemos em um mundo agitado, em ebulição e transformação constante. É o chamado mundo globalizado e globalizante, criticado e execrado por uns e defendido por outros. Não nos propomos a discutir esses prós e contras aqui e, sim, fazer algumas constatações dos efeitos e das perspectivas que podemos vislumbrar para o futuro da nossa sociedade, no que tange às lideranças. No processo de globalização, o agente principal é a alta tecnologia da comunicação. Temos uma velocidade crescente de transmissão das informações, que agora se dá de forma ininterrupta, ou seja, 24 horas por dia e nos "quatro cantos" do planeta. Algumas grandes invenções que tornaram isso possível foram a fibra óptica, o satélite, a internet etc. Além de todos os progressos que essa conectividade e interconectividade nos proporcionou, cabe destacar que houve uma aceleração significativa do processo de descentralização do poder. Informação e conhecimento, juntos, constituem a maior e a melhor fonte de poder do mundo atual, conforme Toffler.

Essa descentralização e a consequente distribuição ou diluição do poder continuam em marcha e, entre seus inúmeros efeitos, encontramos a ativação de outro processo, denominado Evolução da Consciência. Na medida em que, portanto, as informações e o poder se distribuem com mais rapidez e de forma mais abrangente, e que vamos formando uma massa crítica de pessoas mais conscientes, percebemos uma importante e derradeira transformação no universo das lideranças! Todas essas mudanças que acontecem evidentemente aliadas e de forma inter-relacionada e interdependente, sejam de ordem econômica, social, política ou cultural, nos conduziram ao contexto atual de uma forte crise mundial de lideranças. Como bem podemos depreender, novos cenários, novo contexto, novas exigências inclusive, e, principalmente, quanto aos "novos líderes" que poderão nos inspirar, guiar e facilitar a continuidade no caminho da evolução humana. Evolução, vale salientar, significa avançar na direção do desenvolvimento e do aperfeiçoamento, seja de um saber, seja da ciência ou da consciência. Evolução significa, ainda, transformação gradual e progressiva de um estado ou condição.

Assim, neste início do século XXI, diante do qual muitos de nós alimentamos tantas expectativas e também sonhos ou até mesmo fantasias, desde quando éramos crianças, qual é a impressão que temos ao contemplar o cenário geral do nosso planeta? Que sentidos esse cenário geral nos desperta? Estamos felizes, realizados e satisfeitos? Podemos nos sentir orgulhosos de tudo o que está acontecendo? Será que poderíamos partir daqui com a sensação de missão cumprida? Ou será que, embora tenhamos avançado muito em muitos aspectos, em muitas áreas, ainda estamos muito distantes de nosso sonho mais íntimo, de paz interior, de uma vida digna e com qualidade, de uma felicidade vivida como um estado permanente da alma?

Exigências dos novos líderes

No livro *As chaves para o século XXI* (*Las claves para el siglo XXI*, Ediciones Unesco, 2002, sem tradução para o português), Gabriel García Márquez abre a introdução com a seguinte frase: "Não espere nada do século XXI, é o século XXI que espera tudo de ti". Logo em seguida, pergunta: "Mas será que temos as chaves para entrar no século XXI? Será que temos os instrumentos e estamos preparados para o século XXI?". Concordo com ele quando afirma que há razões para se duvidar. O escritor parafraseia Ilya Prigogine, afirmando que não podemos prever o futuro, mas podemos ajudar a moldá-lo. O que, certamente, não depende só de nós, mas em grande medida está em nossas mãos, nas mãos de cada um de nós, e toma forma com a soma dos atos da espécie humana.

Concordo com ambos sobre não poder prever o futuro. Só acrescentaria que, além de ajudar a moldar o futuro, acho que nós podemos cocriar esse futuro, como propõe Barbara Hubbard, por meio de seus preciosos esclarecimentos sobre a revelação apocalíptica. Mais do que isso, acredito ser essa nossa maior e mais elevada missão: cocriar juntos e unidos a Deus. Realizar o projeto divino aqui na Terra. Lembrando que essa é uma missão, acima de tudo, de amor. Conforme diz em sua poesia Rainer Maria Rilke, o amor é nossa derradeira missão, para a qual todas as outras são mera preparação. Ele fala, obviamente, assim como eu, do Amor Incondicional, o qual estamos aqui para aprender e exercitar. E, por intermédio desse exercício diário, despertarmos e evoluirmos na direção de nos tornarmos quem nós realmente somos: seres divinos, crísticos.

Pois bem, diante de todo o contexto e cenário geral do mundo de hoje, quem poderá nos ajudar a evoluir e a alcançar a realização de nossa missão aqui? A bondade divina é imensa, tanto que Ele se comunica, constantemente, através de sinais, conosco. Precisamos prestar mais atenção e aprender a captar e interpretar esses sinais. Alguns estudiosos e especialistas sobre liderança podem contribuir nesse sentido, já que estão permanentemente fazendo a leitura desses sinais relacionados ao processo e ao fenômeno da liderança no mundo. Eles definem as características principais dos líderes do futuro, conforme as mudanças de paradigmas vão acontecendo. Marco Aurélio F. Vianna propõe a ideia do "Líder Cidadão", aquela pessoa que será capaz de colocar seus dons, competência, trabalho e poder a serviço da proteção da vida, em todas as suas manifestações. Líder Cidadão será aquele indivíduo que coloca toda a sua energia em ações e atitudes socialmente responsáveis. Vianna enfatiza que o líder é aquele que transforma uma organização comum em uma verdadeira instituição, na definição de Selznick (p. 7).

Deepak Chopra diz que o líder é a alma simbólica da coletividade, que age como catalisador de mudanças e transformações. Concordamos com muitas das ideias de Vianna a respeito do tipo de líder que os novos tempos estão a pedir. Assim como ele, percebo que, diante de um novo mundo que se descortina à nossa frente, precisamos de verdadeiros líderes que vão muito além da concepção limitada de um chefe tradicional com suas atribuições tradicionais. Precisamos de líderes que transcendam as limitações do atual "modelo" de liderança predominante, um modelo completamente ultrapassado. Estamos carecendo de líderes sintonizados com esse novo tempo e conectados com suas exigências e demandas, naturalmente capazes de responder a elas de forma ágil, sábia, ética e inspiradora.

Vianna propõe os dez mandamentos do Líder Cidadão:

1. Tem uma missão mais nobre.
2. Faz da ética seu valor maior.
3. Orienta suas ações para o bem.
4. Quer a justiça social.
5. Pratica a sustentabilidade plena.
6. Tem visão de longo prazo.
7. Envolve e instiga muitas outras pessoas.
8. Tem estratégias eficazes para a ação.
9. Faz acontecer.
10. É pragmático nos resultados.

Na realidade, estamos hoje diante de uma necessidade urgente e crítica que inclui e se sobrepõe a todas as outras, a necessidade de sobrevivência. A sobrevivência, por sua vez, implica sustentabilidade, que exige uma postura de responsabilidade social da comunidade como um todo. Portanto, precisamos cultivar e facilitar o surgimento de líderes cidadãos capazes de conduzir nossa transição como sociedade humana até a sustentabilidade e a sobrevivência. Mas, para isso, precisamos nos dispor e ampliar e aprofundar nossos debates, nossas reflexões e abrir nossas mentes e corações. Para propiciar o surgimento de Líderes Cidadãos, teremos de trabalhar muito e arduamente desde agora. Esse trabalho árduo nos impõe, como condição fundamental, rever o conceito de educação.

Como já foi abordado, precisamos superar a visão mecanicista e seu modelo fragmentador e reducionista de ver o ser humano. Temos de partir para a assimilação e a adoção da visão holística como base da educação. Necessitamos assimilar e adotar a visão transdisciplinar para construir novos conhecimentos e abordagens em educação que sejam condizentes e adequados a esses novos seres, crianças e jovens, que estão aí e que ainda chegarão. É necessário que passemos a considerar a dimensão espiritual do ser humano, das organizações e da sociedade, ou a dimensão nooética, como propôs Vitor Frankl. Precisaremos reformular nossos currículos ou mesmo recriá-los. Esses novos currículos deverão ser baseados em honestidade, flexibilidade e pensamento intuitivo e prático para resolver problemas. A reforma do sistema educativo deverá incluir matérias como: responsabilidade de poder, compreensão de tarefas, economia ética, ciências e espiritualidade, conforme a opinião de vários especialistas.

O psicólogo Roberto Crema, vice-reitor da Unipaz, enfatiza a necessidade dessa evolução e destaca que a inteligência espiritual é o instrumento básico para promovermos as mudanças necessárias na direção da perpetuação da espécie humana, com qualidade, dignidade e reconectando o conhecimento com a dimensão do amor e da compaixão (2004, *Gestão contemporânea de pessoas*, p. 378). Crema chama a atenção para o fato de que nossa sociedade, especialmente a ocidental, baseada na visão mecanicista, tem formado especialistas. De acordo com seu entendimento, trata-se de uma pessoa exótica, que sabe quase tudo de quase nada, dotado de uma certa imbecilidade funcional, que aprendeu a fazer um determinado "cacoete", que se orgulha de sua unilateralidade de visão e de ação, e que perdeu desgraçadamente a visão da totalidade. Estou afinada com o pensamento do psicólogo e da professora universitária. Tenho tido oportunidade de constatar essa realidade que tantos males tem causado à nossa convivência e qualidade de vida. O que assistimos hoje em matéria de violência explícita ou disfarçada resulta dessa descaracterização dos indivíduos em seus aspectos humanos. Essa perda brutal das características humanas, resultante da visão mecanicista e reducionista, chama-se desumanização. Esse processo tem alimentado um círculo vicioso altamente destrutivo para todos, na medida em que se tornou causa e também efeito de si mesmo. A desumanização como processo acontece assim: baseada na visão mecanicista que identifica o ser humano com o funcionamento de uma máquina, temos o *homem-máquina* constituído apenas de um corpo que interessa ao sistema enquanto estiver saudável e dócil para trabalhar e obedecer e uma mente que interessa enquanto não pensar nem for criativa, apenas manipulável porque alienada. Esse *homem-máquina*, portanto, funciona recebendo E (estímulos/*inputs*) e dando R (respostas/*outputs*) sem interferência de emoções, sentimentos ou opiniões e escolhas próprias. Tudo é padronizado e sistematizado de acordo com o Sistema Vigente (capitalista ou outro) ou com a Matrix predominante. O resultado é autoritarismo, frieza, indiferença, medo, insegurança, raiva, alienação, isolamento, depressão, individualismo, falta de empatia, de compaixão, de amor, de solidariedade. Esse ciclo se repete e se reforça através das matrizes sociais, tendo como base o universo das organizações de trabalho e perpassando as relações familiares e o contexto educacional. Cada vez mais nos desumanizamos e nos distanciamos de quem realmente somos. Perde o mundo do trabalho, perdemos todos nós. A mudança só virá com o nosso Despertar a partir da expansão de nossas consciências. Só então poderemos pretender mudar a Matrix do medo em que se baseia na economia, e que, por sua vez, determina nosso modo de pensar, de sentir e de viver.

Precisamos despertar nossa consciência para resgatar a visão mais completa e verdadeira de quem somos. Necessitamos nos preparar muito para receber os jovens potenciais que nos cercam e que estão chegando, cada vez em maior número. Devemos adotar a visão holística que nos devolve a consciência de quem somos, seres humanos unidos uns aos outros e a todos os outros seres do planeta, de que nossa relação é de total interdependência. Essa visão, aliada à visão da Psicologia Transpessoal, poderá nos ajudar a resgatar nossas características humanas essenciais que estavam adormecidas. Entre as virtudes, estão a espiritualidade, o amor, a bondade, a compaixão, a multissensorialidade e a transcendentalidade. Crema propõe que devamos evoluir na direção de formar cidadãos conscientes dessa realidade, que, em vez de especialistas, possam se tornar "sintetistas", que se caracterizam por: centrar-se no todo; intuição; coração (sentimentos e valores); sincronicidade; sonho e transe; espiritualidade; enfoque transpessoal; transcendência etc.

Para isso, precisamos lembrar que educar é muito mais do que transmitir conhecimentos e habilidades por meio dos quais se atingem objetivos limitados, conforme enfatiza o líder espiritual tibetano Dalai Lama. Educar é também abrir os olhos das crianças para as necessidades e os direitos dos outros. Precisamos mostrar às crianças que suas ações têm uma dimensão universal. Precisamos encontrar uma forma de estimular seus sentimentos naturais de empatia para que venham a ter uma noção de responsabilidade em relação aos outros. De acordo com o Lama, se tivéssemos de escolher entre conhecimento e virtude, esta última seria, sem dúvida, a melhor opção, pois é mais valiosa. Ele chama a atenção, ainda, para o fato gravíssimo de que os sistemas educacionais modernos negligenciam a discussão das questões éticas. Os valores éticos e humanos eram e ainda são vistos como pertencentes ao plano religioso, o que é um erro com graves consequências.

Parece-me imperativo que passemos a pensar e a debater muito mais os aspectos éticos, morais e humanos em nosso dia a dia. Essas discussões precisam ser incluídas no cotidiano e em todos os currículos, desde a mais tenra idade. Pois, do contrário, os efeitos em um futuro próximo poderão ser ainda piores e mais desestabilizadores do que os efeitos sentidos hoje. Conforme a metáfora do jardineiro, utilizada por Crema para designar a excelência dos educadores e, por que não, dos pais, o bom profissional prepara um solo fértil com os nutrientes necessários, nem mais e nem menos, extermina as pragas, e poda, com o discernimento que cada planta requer, observando as estações e centrando-se na singularidade do organismo vegetal. E, acima de tudo, o bom jardineiro é o amante das flores. O bom jardineiro, afirma Crema, sabe que a planta só necessita de um bom solo, fecundo, para crescer por si mesma. Ela já é dotada de um tropismo para ser o que é, buscando o que necessita no solo e direcionando-se para a luz do sol (2004, p. 383). Nas palavras do Dalai Lama, para ensinar qualquer coisa, especialmente conduta ética, é preciso praticar, dar antes o exemplo. Os professores e educadores têm uma responsabilidade especial. Seu próprio comportamento pode fazer as crianças lembrarem-se deles pelo resto da vida. Se sua atitude é íntegra, disciplinada, bondosa, amorosa, honrada e respeitando seus alunos, seus valores ficarão gravados na mente dessas crianças, com reflexos em seu comportamento.

Recordo de uma situação vivida entre uma menina de 9 anos e sua professora de Ciências, na 4ª série do Ensino Fundamental. Essa história me foi contada recentemente, durante o desabafo de uma mãe sobre o seu sofrimento imenso aliado ao da filha Índigo e de toda a família. De acordo com a visão holística, quando um membro da família sofre, todos sofrem. A mãe me contou que a criança estava tendo aula de Ciências e aprendendo sobre os ossos que compõem o corpo humano. Nessa época, o pai da menina, seu marido, teve que fazer uma cirurgia no joelho e tirou uma parte óssea dessa região. A garotinha, então, teve a ideia de pedir que o pai lhe emprestasse o vidro com o osso para mostrar à sua turma. Ela estava cheia de entusiasmo e motivada como nunca. Ao chegar à aula, chamou a professora e mostrou, orgulhosa e feliz, sua contribuição. Sabem qual foi a reação da professora? Pasmem! Ela olhou e disse: "Ah, tá!". Virou as costas e foi embora. Agora, como você acha que essa menina se sentiu? Ela chegou em casa e desatou a chorar, ficou muito tempo aos prantos e sua mãe tentando consolá-la. Sua decepção com esse episódio e por outros do gênero já ocorridos deixam sua filha cada vez mais triste, revelou a mãe.

Que educação é essa? Que respeito e que amor são esses? Onde está o espírito, a chama que nos acende e nos distingue de outros seres vivos? Creio que até um cachorro é mais sensível, educado, amoroso, afinal, ele sempre late e lambe seu dono, mesmo quando este fica o dia todo fora, deixando-o sozinho. Agora, uma professora de 4ª série de uma escola particular é considerada de ótimo nível! Por favor! Falta, acima de tudo, em meu entender, amor, muito amor, pois todo o resto decorre da energia e da força edificante desse sentimento. Segundo o doutor Patrício Perez, terapeuta de Índigo, equatoriano e vinculado à Fundação ÍNDIGO, do Equador, o motivo número um que leva os pais a buscarem ajuda é a dificuldade encontrada pelos filhos em adaptar-se ao sistema educativo, principalmente as crianças. Este é um dado que só reforça a crença de que necessitamos, com urgência, de um novo modelo de educação. Muito provavelmente essa seja uma das principais missões que os Índigo precisarão assumir para si. Estou certa e não estou só nesta opinião. Muitos especialistas também estão percebendo o quadro deste modo.

Necessitaremos, para essa transformação do sistema educativo, bem como para tantas outras mudanças, de líderes amorosos, empáticos, éticos, intuitivos, telepáticos, holísticos e multissensoriais, compassivos, espiritualizados, leitores das consciências e do DNA, dos campos energéticos, da anatomia física e emocional, decodificadores sensíveis da alma das outras pessoas. Precisamos urgentemente de líderes que tenham um brilho intenso no olhar, o que não deixará dúvidas sobre sua alma elevada, sobre sua força e capacidade de realização, sobre sua coragem e visão. Ansiamos por líderes que possam ser seguidos naturalmente devido ao seu poder intrínseco de atração, baseado tão somente em seu conhecimento, experiência, sabedoria e, acima de tudo, pela integridade de sua alma elevada e pura. Precisamos de pessoas do calibre de Gandhi, Buda, Albert Einstein, Madre Teresa de Calcutá e Jesus Cristo. Temos de despertar para perceber que suas sementes, seus germes estão ao nosso redor, em nossos lares, nas escolas, nas ruas, por toda parte. Basta abrirmos bem os olhos, os olhos da alma, e o coração.

Nossa responsabilidade é imensa e não podemos recuar, nem abrir mão dela. Essa responsabilidade faz parte do maior presente, o mais sagrado que já recebemos, é nosso presente divino: a vida! Os líderes do futuro são as crianças, os jovens de hoje. Entre eles, encontram-se, em número cada vez maior, os Índigo e os Cristal. Eles representam toda nossa esperança de um futuro melhor e mais evoluído. Trazem todo o potencial, tal como a planta, referida na metáfora, para a realização do sonho de um mundo melhor. Eles poderão vir a ser o tipo de líder de que necessitamos, que, segundo Roberto Crema, é o líder holocentrado, o facilitador conectado à corrente universal. Aquele que não está dissociado da sociedade, do ambiente, do Universo e do Grande Mistério. É o líder que escuta e segue a sincronicidade e todas as leis universais. É um representante da física quântica e da teoria do caos, simbolizando a força resultante da renovação de todo o sistema. É o líder que funciona por intermédio da percepção holística da vida e do universo, já que conectou seus dois hemisférios cerebrais: o direito, intuitivo, poético, místico, criativo, emocional; e o esquerdo, lógico, científico, racional, analítico.

A conexão desses dois hemisférios representa a junção das duas asas que um pássaro precisa para voar, sugere Crema. A representação física dessa conexão é a região entre os olhos, chamada de terceiro olho, e que nos reporta à simbologia do unicórnio e de seu chifre localizado justamente nessa região. Nosso terceiro olho é responsável pela terceira visão, que pode ser entendida como a visão holística, cuja capacidade ou dom mais representativo é a intuição. Intuição é a capacidade de darmos uma "chegadinha" até o futuro e depois voltar. É criativa, espontânea e pode também ser compreendida como a inspiração ou *insight* que nos chega de repente, tornando limpa e cristalina nossa visão e entendimento sobre uma situação, fato ou decisão, ou mesmo sobre nós mesmos e a realidade circundante. Intuição é nossa conexão com a Energia Universal, com essa corrente que flui permanentemente, direto da fonte de toda a verdade e de todo o saber.

Finalmente, espero ter contribuído com informações, esclarecimentos e reflexões para que você repense, revise sua visão, valores e crenças. Desejo ter podido trazer um pouco de luz para seu caminho e ofereço, de coração, minha companhia e ajuda para que prossiga fazendo, sem medo, as mudanças que julgar necessárias. Como uma inspiração final, ofereço a poesia de Guillaume Apollinaire sobre a dimensão espiritual do papel dos educadores. Ele é citado por Fergunson (1989, p. 278), quando afirma que certa tensão é necessária, apropriada e essencial e que os professores podem falhar seriamente em sua missão quando sentem medo de perturbar os educandos. É preciso exercer a verdadeira compaixão que implica confiança no outro, firmeza, amor e coragem.

Cheguem até a borda, ele disse. Eles responderam: Temos medo. Cheguem até a borda, ele repetiu.

Eles chegaram. Ele os empurrou... E eles voaram.

Criaremos novos cargos para eles, cargos e posições que nunca existiram, devido à sua genialidade, ao seu brilho.

Como no caso do maestro russo Valery Gergiev, para o qual o Metropolitan Opera de Nova York criou o cargo de diretor (geral e artístico) maestro convidado, posição que nunca existiu antes. Isso só para poder contar com o talento e luz desse grande gênio da música contemporânea. Um ser que, embora seja tão diferente em seu comportamento e tenha atitudes que desafiam todas as regras e padrões estabelecidos, é tão genial que ninguém pode prescindir de seu talento, de sua genialidade fantástica! Por isso mesmo, abre-se mão da rigidez das regras, aumenta-se a tolerância e descortina-se o caminho! Isso é amor incondicional. Desse amor precisamos todos para viver. Ou eles mesmos criarão, com o passar do tempo, esses novos espaços, ao perceberem a necessidade. Na educação talvez esteja um dos primeiros desafios e principal missão dos Índigo. Eles próprios terão que propor novos modelos e métodos para ensinar e aprender, tornando-se os novos modelos e parâmetros vivos, ou exemplos vivos da nova educação e dos novos educadores com bases humanistas, visão holística, transpessoal e transdisciplinar. Acima de tudo, pautados pela ética, pelo amor e pela verdade. Esperemos para ver as empresas que eles vão criar, as soluções que irão encontrar e oferecer para um novo mundo!

Anita Roddick, uma representante da frequência Índigo, expressou-se assim na dedicatória de seu livro *Meu jeito de fazer negócios*:

"A meus netos, na certeza de que eles seguirão o caminho de seus pais e avós – determinados, verdadeiros, livres para pensar, simpáticos, demolidores de mitos, inconformistas e ativistas."

Anexos e Bibliografia

Para ampliar o conhecimento e a percepção da natureza das Crianças Índigo, filmes e *sites* de consulta para os leitores.

Filmes

A Cor do Paraíso: Filme do diretor Majid Majidi, cujo trabalho merece aplausos. História de um menino cego que, ao perder sua mãe, fica sob os cuidados do pai e passa a sofrer pela dureza, frieza e falta de visão e sensibilidade paterna. A avó se transforma em seu refúgio até um determinado momento. O menino é um exemplo da magnitude e da grandeza de uma criança que, infelizmente, não são percebidas nem respeitadas e, muito menos, estimuladas pelos adultos. Filme que emociona e exige um coração bem aberto, olhos da alma muito atentos para entrar na magia, na poesia. Uma verdadeira obra de arte!

Elefante: Filme do mesmo diretor de *Encontrando Forrester.* Narra a tragédia do tiroteio ocorrido em uma escola, em Columbine. Os meninos que planejaram e executaram o tiroteio, e depois se mataram, eram Índigo e deixaram algumas cartas e vídeos contando em detalhes por que fizeram o que fizeram. Relatam que, depois de sofrerem por muito tempo toda a perversidade, tirania e injustiça de um sistema educacional antigo e retrógrado, e após inúmeras tentativas de exigir mudanças junto à diretoria e professores, resolveram agir para causar impacto não só local, mas também mundial. Para sacudir e fazer todos repensarem o modelo de sistema educacional vigente.

Encontrando Forrester: História de um adolescente supertalentoso que tenta esconder seus dons e brilhantismo, até mesmo de si próprio, para evitar constrangimentos, marginalização e sofrimento.

Energia Pura: Filme belíssimo. Mostra os desafios de nascer e ser diferente, e o quanto a sociedade despreparada pode ser nociva a seres tão delicados e sensíveis.

Filhos do Paraíso: Produção e direção iraniana com excelente atuação dos atores infantis. Um filme feito com sensibilidade extrema. Do diretor Majid Majidi.

Índigo: História de uma menina Índigo e as memórias de sua primeira infância, quando se manifestam seus dons. Ela causa muita influência e provoca profundas transformações em sua família e em todos que se aproximam dela. É muito bonito e mostra algumas das características dos Índigo, sua forma de ser e de estar no mundo. O diretor Stephen Simon dirigiu filmes como *Em algum lugar no passado* e *Muito além da vida*. Índigo foi produzido pela Comunidade do Cinema Espiritual, nos Estados Unidos. Os atores são voluntários.

O Balão Branco: O diretor é o iraniano Majid Majidi, que revela extrema sensibilidade, transportando-nos ao universo infantil com maestria. A atuação dos atores infantis é fantástica! Relata a história de duas crianças que são irmãs e que vivem o drama de uma relação com os pais muito fria e distante, marcada pela dureza e pela falta de sensibilidade, cuidado e respeito. Enfrentam desafios e angústias diante de um mundo adulto hostil e acabam se unindo para superá-los. Seus pais, assim como outros adultos, não imaginam quanto os irmãos estão sofrendo e quanto dói a distância e a falta de consideração e de amor com que são tratados. Um belo filme!

O Pequeno Príncipe: Um piloto perdido no deserto e um menino vindo de um lugar distante. Juntos, eles compartilham experiências que divertem, encantam e tocam o coração. Alguém já aprendeu algo com uma raposa? Já cuidou de uma rosa por ser mais especial entre outras rosas? Já visitou um rei distante de tudo e de todos? Observou a maliciosa dança de uma serpente? O universo, ou melhor, a vida é um lugar encantador, ainda mais quando se convive com o Pequeno Príncipe, que é um representante dos Índigo.

Ponette – À espera de um anjo: É um filme sobre uma menina muito sensível e especial que perde sua mãe muito cedo e alimenta uma fé inabalável de que ela voltará. Ela passa a ter visões de anjos e também sente a presença de sua mãe junto dela. Através de seu comportamento, provoca mudanças naqueles que convivem com ela.

Tiros em Columbine: Documentário dirigido por Michael Moore. Aborda a questão da violência, do uso crescente de armas pelos jovens, estimulado pela sociedade. Embora não esteja explícito, o filme foi inspirado nos acontecimentos trágicos em uma escola americana, amplamente divulgados na época, sobre dois adolescentes Índigo que provocaram um massacre atirando em colegas e professores e depois se mataram. Cartas e vídeos deixados pelos adolescentes contam detalhadamente por que chegaram a esse ponto. Os dois também previram que seria realizado um filme sobre o tema, alertando a sociedade sobre as injustiças e a perversidade que jaz silenciosa no sistema e nas instituições educacionais em geral.

2001: Uma Odisseia no Espaço: Produção de 1968, um dos filmes mais influentes da segunda metade do século XX. Alcançando o ano mítico escolhido pelo diretor Stanley Kubrick e pelo romancista Arthur C. Clarke, ele continua a nos desafiar, com o fascínio e o enigma que toda grande obra de arte propõe. São duas obras: o filme, que dá origem a toda uma linhagem de produções de ficção científica, e o romance, um *best-seller* há três décadas, com mais de 4 milhões de cópias vendidas no mundo inteiro.

The Indigo Evolution: Dirigido e produzido por James Twyman, Stephen Simon, Kent Romney e Doreen Virtue. Primeiro documentário em longa-metragem sobre o assunto. Ouvir o jovem Jeffrey Star e outras Crianças Índigo nesta belíssima produção nos dá uma rara e fascinante visão sobre esse processo de evolução humana. Fica claro que essas crianças têm um propósito, sabem que propósito é esse e como pretendem persegui-lo. Muitos dos jovens referidos no filme tornaram-se artistas, poetas, músicos e pacificadores aclamados. O depoimento da jovem artista Akiane, tendo ao fundo suas pinturas, é um dos momentos especiais (e transcendentais) da obra.

Com Estrelas na Terra, Toda Criança é Especial: Belíssimo filme indiano, extremamente bem dirigido por Taare Zameen Par, que relata a história de um menino que sofre de dislexia mas cujos pais ignoram tal condição e agem com rigidez, intolerância, falta de entendimento e de compaixão, entregando o filho numa escola tipo internato super-rigorosa. O filme mostra toda a trajetória de dor e sofrimento de viver com um estigma em meio a frieza e humilhação, estando longe da família e de qualquer vínculo afetivo. Fica escancarada a profunda limitação e obsolescência de nosso contexto educacional, seja aqui no Brasil, na Índia ou em qualquer outro lugar. Mas surgirá uma luz através de um novo professor que, sem dúvida, representa a Nova Energia e Consciência adentrando os muros frios e escuros da escola, e uma reviravolta surpreendente ocorrerá. Esse filme é tocante, encantador e transformador. Deve ser visto por todos os pais, educadores e junto com as crianças!

A Educação Proibida: Esse documentário foi idealizado e organizado pelo jovem Índigo argentino Matías De Stefano, e foi possível graças a um sistema de cooperação entre muitas pessoas de diferentes países. Apresenta o panorama e as perspectivas incríveis e, ao mesmo tempo, urgentes para o contexto da Educação em nosso planeta. Merece ser visto e revisto muitas vezes por todos os pais, professores e pessoas que anseiam por um mundo onde a mudança na Educação floresça a partir de novas bases, que só poderão advir de novos horizontes inspiradores. Assista já e compartilhe, divulgue!

Sites

Núcleo para pais (Facebook): Grupo de Ingrid Cañete no Facebook voltado para promover e facilitar a interação e troca de informações entre pais.

https://www.facebook.com/eloeducadoraintegral: Educação e Espiritualidade.

http://eloeducadoraintegral.wix.com/eloisa: Educação e Espiritualidade.

www.emane.info: Pedagogia 3000.

www.montereymedia.com: *Site* do filme *Indigo*.

www.ninallinares.net: *Site* de Nina Llinares. Apresenta terapias alternativas, Índigo.

www.institutovivabem.com: Instituto Viva Bem se propõe a informar, orientar e apoiar os pais através de artigos, vídeos e entrevistas.

www.waece.org: Associação Mundial de Educadores Infantis.

www.psicoactiva.com: A hiperatividade nas crianças.

metagifted.org: *Site* de Wendy Chapman, com artigos sobre Crianças Índigo e ADD.

hayhouse.com: Astrologia, áudios, livros, música e *newsletters* sobre a Nova Era.

www.crecersinmuros.com.ar: Jogos com imaginação.

www.ingridcanete.com.br: Voltado para temas ligados ao bem-estar, qualidade de vida e evolução humana, com artigos, indicação de *sites*, livros e filmes sobre Índigo e Cristal, além de notícias, poesias, músicas e informações sobre a autora.

www.awsna.org: Site em inglês das escolas Waldorf.

www.piracanga.com: Escola Livre.

www..crecersinescuela.org: Crescer sem escola, da Espanha.

www.unipaz.org.br: UNIPAZ, do Brasil.

www.beyond-foudation.org: Fundação voltada para, por meio da música, convidar e encorajar as pessoas, ao redor do mundo, a manifestar os atributos positivos do coração humano, como o amor e a compaixão, agindo para promover a paz. A cantora Tina

Turner faz parte dessa Fundação. Há diversos vídeos curtos de mantras cantados por crianças que são belíssimos e merecem ser vistos e colocados à disposição de nossas crianças. Visite já!

www.ninosindigochile.cl: Sobre Crianças Índigo e Cristal. Livros, terapeutas da América Latina que atuam nesta área. Coordenado pela Dra. Mariella Norambuena.

www.kryon.com: Do norte-americano Lee Carroll, um dos canalizadores de Kryon e autor de dois livros sobre as Crianças Índigo.

www.nancyanntappe.com: Nancy é a metafísica norte-americana pioneira na identificação da frequência Índigo e autora dos livros *Understanding your life throught color* e *Quiet Storm.*

www.casa-indigo.com/links.asp:
Portal com vários *links* sobre o tema.

Bibliografia

AISENBERG, Sandra; MELAMUD, Eduardo. *Niños Índigo – Nuevos seres para una nueva tierra.* 3a ed. Buenos Aires: Editorial Kier, 2003, 158 p.

BUSCAGLIA, Leo. *Vivendo, amando e aprendendo.* 16a ed. Rio de Janeiro: Editora Record, 1982. 275 p.

____________. *Amor.* 20a ed. Rio de Janeiro: Editora Record e Nova Era, 1999, 160 p.

CABOBIANCO, Flavio M. *Vengo del sol.* Buenos Aires, Editora Manrique Zago, 1991.

CALAPRICE, Alice. *Assim falou Einstein.* 1a ed. Rio de Janeiro: Editora Civilização Brasileira, 1998. 258 p.

CAÑETE, Ingrid. *O brilho nos olhos.* Porto Alegre, 2001. 200 p.

CARLSON, Richard. *Os caminhos do coração.* Rio de Janeiro: Editora Sextante, 2000. 192 p.

CARROLL, Lee e TOBER, Jan. *The Indigo Children – The new kids have arrived.* 14a ed.Carlsbad: Hay House, 2000. 249 p.

______________________. *Homenaje a los Niños Indigo.*

Barcelona: Ediciones Obelisco, 2003.238 p.

CARVALHO, Josenildo F. de. *Crianças Índigo – Os filhos de um novo tempo*. 2003.130 p. (Ainda não há publicação brasileira)

CHOPRA, Deepack. *As sete leis espirituais do sucesso*. 3a ed. São Paulo: Editora Best Seller, 1994. 103 p.

____________. *As sete leis espirituais para os pais*. Rio de Janeiro: Editora Rocco, 1998.151 p.

COOPER, Robert; SAWAF, Ayman. *Inteligência emocional na empresa*. Rio de Janeiro: Editora Campus, 1997. 363 p.

FERGUSON, Marilyn. *A conspiração aquariana*. 7a ed. Rio de Janeiro: Editora Record/ Nova Era, 1992. 441 p.

FUNDACIÓN Indigo Ecuador. *La conciencia Indigo – Futuro, presente*. 2a ed. Quito, 2004. Fundación Indigo Ecuador.

HAPPÉ, Robert. *Consciência é a resposta*. 2a ed. São Paulo: Editora Talento, 1997.144 p.

HUBBARD, Barbara M. *A Revelação – Uma mensagem de esperança para o novo milênio*. São Paulo: Editora Fundação Petrópolis, 1997. 365 p.

LAMA, Dalai. *Uma ética para o novo milênio*. 2a ed. Rio de Janeiro: Editora Sextante, 2000. 256 p.

LLINARES, Nina. *Niños Indigo – Guía para terapeutas, padres y educadores*. México: Sol Rojo Editora, 2003. 234 p.

MENCKEN, Ivonne. *Como convivir con un Niño Indigo*. Buenos Aires: Editora Deva's, 2003. 151 p.

MORENO, José Manuel Piedrafita. *Niños Indigo – Educar em la nueva vibracion*. Zaragoza: Ediciones Vesica Piscis, 2001. 98 p.

MORIN, Edgar *Os sete saberes necessários à Educação do Futuro*. São Paulo, Editora Cortez, 2000. 118 p.

NETO, José Trigueirinho. *Os jardineiros do espaço*. 5a ed. São Paulo: Editora Pensamento, 2004. 145 p.

PAIS, Abraham. *Einstein viveu aqui*. Rio de Janeiro: Editora Nova Fronteira, 1994.331 p.

PRIGOGINE, Ilya y otros. *Claves para el siglo XXI*. Barcelona: Editorial Critica, Ediciones UNESCO, 2002. 429 p.

RASCOWSKY, Arnaldo. *La matanza de los hijos y otros ensayos.* 2a ed. Buenos Aires: Ediciones Kargieman, 1975. 163 p.

RODDICK, Anita. *Meu jeito de fazer negócios.* São Paulo: Editora Negócio, 2002. 287 p. ROMERO, Isolina. Indigo – Educación para padres. 1a ed. México, 2003. 250 p.

SAINT-EXUPÉRY, Antoine. *O pequeno príncipe.* 23a ed. Rio e Janeiro: Editora AGIR, 1981.95 p.

SALDANHA, Vera. *A psicoterapia transpessoal.* Rio de Janeiro: Editora Rosa dos Tempos,1999. 190 p.

SARTI, Cynthia Andersen. *A família como espelho.* Campinas: Editora Autores Associados, 1996. 127 p.

SAVATER, Fernando. *Ética para amador.* Barcelona: Editora Ariel, 1991. 189 p.

SELL, Emily Hilburn. *Sobre el amor.* Bogotá: Editorial Norma, 1996. 141 p.

STEINER, Rudolf. *A educação da criança segundo a ciência espiritual.* 3a ed. São Paulo: Editora Antroposófica, 2001. 47 p.

TABONE, Márcia. *A Psicologia transpessoal.* São Paulo: Editora Cultrix, 1987. 191 p.

VECCHIO, Egídio. *Índigo, as crianças da nova era.* 1a ed. Porto Alegre: Editado pelo autor, 2004. 168 p.

VIANNA, Marco Aurélio F. *O líder cidadão e a nova lógica do lucro.* Rio de Janeiro: Editora QualityMark, 2003. 196 p.

WHEATLEY, Margaret; KELLNER-ROGERS, Myron. *A simpler way.* São Francisco: Berret Koehler Publishers, Inc., 1996. 135 p.

WILBER, Ken. *O espectro da consciência.* São Paulo: Editora Cultrix, 2001. 292 p.

IMPRESSÃO:

Santa Maria - RS | Fone: (55) 3220.4500
www.graficapallotti.com.br